KIND TUSSEN WERK EN ZORG

KIND TUSSEN WERK EN ZORG

DE SITUATIE VAN HET NEDERLANDSE GEZIN EN DE TAAK VAN DE OVERHEID

JOOS VAN VUGT

Katholieke *Universiteit* Nijmegen

ÞAMON

Soeterbeeck
Programma

wen 2006

Het Soeterbeeck Programma stimuleert academische reflectie, conversatie en debatten binnen het domein van wetenschap, samenleving en levensbeschouwing. Het Soeterbeeck Programma is actief op de campus van de Katholieke Universiteit Nijmegen, in het Studiecentrum Soeterbeeck te Ravenstein, in de stad Nijmegen en op diverse plaatsen elders in Nederland.
Het Soeterbeeck Programma is onderdeel van de Katholieke Universiteit Nijmegen.
Voor meer informatie:
Soeterbeeck Programma,
Postbus 32, 6500 AA Nijmegen.
Tel. (024) 361 55 55.
Fax (024) 361 20 41.
E-mail: info@soeterbeeck.kun.nl.
Website: www.soeterbeeck.kun.nl.

Kind tussen werk en zorg
Tekst: dr. J.P.A. van Vugt

ISBN 90 5573 416 0
NUR: 740 / 850
Trefw.: mens en maatschappij / opvoeding

Realisatie: Uitgeverij DAMON bv

Inhoud

Woord vooraf

Deze publicatie is een van de vruchten van een achttiental discussiebijeenkomsten die de studiegroep 'Het gezin en andere leefvormen' van het Soeterbeeck Programma van de Katholieke Universiteit Nijmegen in 2000-2002 heeft gehouden. Eén van de vruchten, want in de bijeenkomsten van de studiegroep zijn veel meer aspecten van de huidige situatie van het gezin over tafel gegaan dan in de voorliggende publicatie aan de orde komen. Studiegroepen van het Soeterbeeck Programma hebben dan ook evenzeer de persoonlijke verrijking van de deelnemers als het tastbare product tot doel.

Er wordt in West-Europa al minstens twee eeuwen gedebatteerd over het gezin, waarbij telkens andere aspecten – sociale, politieke, demografische, morele, religieuze – centraal staan. Bijna altijd lijkt ongerustheid over de algemene maatschappelijke ontwikkeling de motor achter de discussie. In sommige periodes is de discussie levendiger dan in andere maar het thema is nooit helemaal uit de belangstelling weg. Sinds de jaren negentig van de vorige eeuw is er in Nederland (maar ook in andere landen) weer sprake van een *hausse* in de discussie over het gezin. Daarbij staan centraal: opvoeding, jeugdcriminaliteit, arbeid en zorg. In deze publicatie wordt de vraag gesteld welke problemen het hedendaagse gezin ondervindt. Daaraan wordt de vraag gekoppeld of de Nederlandse overheid een taak heeft tegenover het gezin en zo ja, welke. Uiteindelijk mondt het betoog uit in het thema dat in de titel kort en bondig wordt weergegeven: kind tussen werk en zorg – een thema dat volop in discussie is en dat, naar wij verwachten, in de loop der tijd alleen maar aan belang zal winnen. De studiegroep 'Het gezin en andere leefvormen' wil daarmee een kritische bijdrage leveren aan het huidige debat over het gezin in Nederland.

De studiegroep bestond uit prof. dr. P. Bierkens (medisch psycholoog), drs. P. Cuyvers (stafmedewerker Nederlandse Gezinsraad, directeur *Family Facts*), dr. Th. Engelen (historicus, demograaf), prof. dr. F. Gabreëls (kinderneuroloog), prof. dr. J. Janssens (pedagoog), dr. A. de Jong (theoloog), prof. dr. C. Klop (socioloog, bestuurskundige, voorzitter NCRV), prof. dr. J. van der Lans (godsdienstpsycholoog), mw. mr. W.C. Monster (juriste), prof. mr. A. Nuytinck (jurist) en dr. J. van Vugt (historicus, stafmedewerker Soeterbeeck Programma). Prof. dr. J. Janssens trad op als voorzitter, dr. J. van Vugt nam namens het Soeterbeeck Programma het secretariaat waar. Laatstgenoemde schreef op basis van de discussies en van commentaren van de leden de voorliggende tekst. Het was daarbij niet de bedoeling om te komen tot een gezamenlijk en/of unaniem rapport van de studiegroep als zodanig. Die opzet heeft tot gevolg dat de tekst vooral voor rekening komt van de auteur en dat de leden van de studiegroep zich niet per se vinden in *alle* stellingen en beweringen in de tekst. Allen vinden zij het echter de moeite waard deze bijdrage aan een belangrijk maatschappelijk debat het licht te doen zien.

Ten slotte wil de studiegroep twee van haar leden herdenken. In de loop van 2002 overleden zowel prof. dr. P. Bierkens als prof. dr. J. van der Lans. Hun actieve deelname aan deze studiegroep was slechts een van hun vele verdiensten. De overige leden herdenken hen met respect en spijt.

Namens de studiegroep 'Het gezin en andere leefvormen',

Prof. dr. J. Janssens, voorzitter
Dr. J. van Vugt, secretaris

1 Zorg om het gezin

1.1 Een discussie herleeft

Volgens Gabriël van den Brink komt aan de redactie van het weekblad *Elsevier* de eer toe de eerste aanzet te hebben gegeven tot een nieuwe discussie over het gezin.[1] *Elsevier* wijdde in 1994 een omslagartikel aan de waarde van het gezinsleven. Daarin werd vooral geklaagd over het feit dat de overheid zich weinig of niets gelegen laat liggen aan 'het gezin', ook al leeft de overgrote meerderheid van de Nederlandse burgers in een gezinsverband.[2] In feite moet het begin van de politieke discussie echter eerder worden gesitueerd, namelijk op 9 februari 1993, toen de NRC op de voorpagina een artikel publiceerde onder de titel 'Gezin nog steeds dominant'. De aanleiding tot dit artikel was een themanummer van het tijdschrift *Gezin,* waarin Van den Akker en Cuyvers een artikel hadden gepubliceerd onder de titel 'De mythe van de individualisering'.[3] Het NRC-artikel ontlokte reacties aan alle politieke kopstukken. Terwijl 'het gezin' binnen het CDA al sinds enige tijd besproken werd, produceerde de PvdA de nota *Moderne gezinnen* (1994).[4] De Nederlandse Gezinsraad publiceerde in samenwerking met het Centraal Bureau voor de Sta-

1 Maar andere vroege aanzetten kwamen uit de koker van het CDA-Vrouwenberaad, Werkgroep 'Gezin en Maatschappij', *Het gezin: samenleven in verantwoordelijkheid,* Den Haag: CDA-Vrouwenberaad, 1979. En: CDA-Vrouwenberaad, *Kinderopvang. Luxe of noodzaak?,* Den Haag: CDA-Vrouwenberaad, [1993].
2 *Elsevier,* 8 december 1994; Gabriël van den Brink, *Hoge eisen, ware liefde. De opkomst van een nieuw gezinsideaal in Nederland* (Utrecht: NIZW, 1997), p. 13. Van den Brink doet uitvoerig verslag van de eerste 'ronde' van het gezinsdebat.
3 P. van den Akker en P. Cuyvers, 'Gezin en overheid: de mythe van de individualisering', in: *Gezin,* 4 (1992), nr. 3-4, p. 141-156.
4 P. Cuyvers, *Moderne gezinnen, of het afscheid van de standaard levensloop,* Amsterdam: PvdA, 1994.

tistiek de bundel *Relatie- en gezinsvorming in de jaren negentig* (1994).[5] Het meest spraakmakend werd het onderwerp opgepakt door de toenmalige fractievoorzitter van het CDA in de Tweede Kamer, Enneüs Heerma, die in 1994 pleitte voor de oprichting van een Ministerie van Gezinszaken. Sindsdien is er vrijwel zonder onderbreking discussie geweest over het gezin, zowel in de politiek als in de wetenschap. Er zijn veel publicaties en rapporten over verschenen.

Waar gaat de discussie precies over? Niet over de vorm van het 'gewone' gezin zelf. Reeds bij de aanvang van het hedendaagse gezinsdebat in Nederland werd door onderzoekers en deskundigen kort en goed vastgesteld dat het gezin *als zodanig,* als leefvorm, niet achterhaald was en evenmin ernstig bedreigd werd, noch door maatschappelijke individualisering, noch door de opkomst van alternatieve leefvormen. De vraag of het gezin verdwijnt of zou moeten verdwijnen is dan ook nauwelijks aan de orde geweest. Er is in de jaren zestig en zeventig een periode geweest waarin allerlei initiatieven werden genomen om alternatieven voor het burgerlijke gezin te ontwerpen. Heden ten dage is er nauwelijks nog sprake van een dergelijke zoektocht. Integendeel, hoewel niemand de term 'hoeksteen van de samenleving' nog in de mond durft te nemen, wordt het gezin door vrijwel iedereen gewaardeerd als een belangrijk instituut, dat een aanzienlijk deel van de maatschappelijke continuïteit realiseert. Dat kinderen, behoudens uitzonderingsgevallen, opgroeien in gezinnen, wordt als een vaststaand feit beschouwd. Het gezinsverband wordt bovendien gewaardeerd als de best mogelijke structuur waarin kinderen kunnen opgroeien – dit ondanks het feit dat al te rozige voorstellingen over het veilige gezin inmiddels onderuit zijn gehaald door de toegenomen kennis over de frequentie van kindermishandeling, verwaarlozing en seksueel misbruik. Behalve in de reclame en in ortho-

---

5   J.J. Latten en P.F. Cuyvers (red.), *Relatie- en gezinsvorming in de jaren negentig,* Voorburg: CBS, Den Haag: NGR, 1994.

dox-christelijke kringen wordt het gezin *als zodanig* niet meer geïdealiseerd: er is waardering voor de vorm van het gezin maar men ziet in dat de kwaliteit van het gezin vooral afhangt van de betrokken individuen: een gezin kan een paradijs zijn maar ook een kleine hel.

Het gezin moge als zodanig, als maatschappelijk instituut, nauwelijks ter discussie staan, de condities waaronder het gezin moet functioneren staan wél ter discussie. De veranderingen die zich de afgelopen decennia in en rond het gezin hebben voltrokken zijn volgens velen geen veranderingen ten goede geweest. Deze critici zijn van mening dat het gezin door de huidige maatschappelijke omstandigheden niet in staat is zijn functies, waaronder met name: de opvoeding van de kinderen, optimaal te vervullen. De discussie gaat dan ook vooral over de economische en culturele druk die van buitenaf op gezinnen wordt uitgeoefend en die mede verantwoordelijk wordt geacht voor de teleurstellende prestaties van (veel) gezinnen waar het de opvoeding van de kinderen betreft.[6] Een in gebreke blijvende opvoeding wordt mede verantwoordelijk gehouden voor een aantal negatieve fenomenen die dagelijks de media vullen: (jeugd)criminaliteit, publiek onfatsoen en publieke agressie, gebrek aan onderlinge solidariteit, vereenzaming – met een sterke nadruk op problemen die de jeugd betreffen. Dat is bepaald geen nieuw verschijnsel: telkens weer blijkt in de geschiedenis van het 'gezinsdebat' dat ongerustheid over het gezin in wezen *ongerustheid over de jeugd* is.

---

6 Wij noemen bijvoorbeeld: R. Loeber, N.W. Slot en J.A. Sergeant (red.), *Ernstige en gewelddadige jeugddelinquentie. Omvang, oorzaken en interventies,* Houten: Bohn Stafleu Van Loghum, 2001; N.M.C. van As, *Family functioning and child behavior problems. A study on the relationship between family functioning and child behavior problems, and the effectiveness of an early intervention parent program to enhance family functioning,* z.p.: z.u., 1999. Dissertatie KU Nijmegen.

1.2 Oude ongerustheid

Die ongerustheid richt zich in feite niet op de hele jeugd maar op een deel van de jeugd – want iedereen kan weten, hetzij uit onderzoek hetzij uit eigen waarneming, dat men zich over de grote meerderheid van de jongeren geen grote zorgen hoeft te maken. Wetenschappers zijn het daarmee eens. De meeste Nederlandse ouders en kinderen óók, zoals blijkt uit onderzoek.[7] Ouders en kinderen leggen in meerderheid een roerende tevredenheid over elkaar aan de dag. De generatiekloof die in de jaren zestig zoveel pennen in beweging bracht, lijkt te zijn gedicht: ouders en kinderen lijken dichter bij elkaar te staan dan ooit. In de media en in de politiek wordt niettemin met grote regelmaat op bezorgde toon over 'de jeugd' gesproken, maar onuitgesproken betreft de ongerustheid niet de jongeren die de journalisten zelf in huis hebben of de jongeren die zij in hun nabije omgeving zien maar jongeren die voor het overgrote deel afkomstig zijn uit gezinnen die naar de geldende normen niet in staat blijken hun kinderen op te voeden tot verantwoordelijke burgers. Het gaat om bepaalde milieus, om bepaalde categorieën van gezinnen, waaronder relatief veel gezinnen waarvan de ouders een lage opleiding en een laag inkomen hebben. Opvoedingsproblemen in sociaal-zwakke gezinnen kan men met recht als een traditioneel probleem beschouwen, want het houdt de gemoederen al enkele eeuwen lang bezig, ook al variëren de terminologie, de diagnose en de aangereikte oplossingen.[8] Dat wil niet zeggen dat alles bij hetzelfde is gebleven. Alle gezinnen zijn er de afgelopen anderhalve eeuw in materieel opzicht aanzienlijk op vooruitgegaan. Opvoedingsproblemen vertonen heden ten dage dan ook een minder *direct* verband met materiële problemen. Het is

---

7 Zie: *De staat van het kind.* Kerstbijlage *Trouw,* 2000.
8 Zie: J. van Vugt, 'Gezin tussen ideologie en werkelijkheid', in: J.R.M. Gerris (red.), *Jeugd en gezin. Gezamenlijke invloed en verantwoordelijkheid* (Assen: Van Gorcum, 2002), p. 19-27.

niet barre armoede – gebrek aan eten, huisvesting, kleding – die de problemen veroorzaakt maar de cultuur die in veel (maar zeker niet in alle!) gezinnen met een laag inkomen en een lage opleiding heerst. En de allochtone gezinnen dan? Het is onmiskenbaar dat bepaalde categorieën van allochtone gezinnen relatief veel probleemjongeren – of misschien beter: probleem*jongens* – voortbrengen, maar men kan op goede gronden betogen dat hier in wezen geen andere problematiek heerst dan in autochtone sociaal-zwakke gezinnen. De allochtone probleemjeugd is niet afkomstig uit gezinnen van Marokkaanse artsen, Antilliaanse beleidsambtenaren of Turkse zakenlieden maar uit gezinnen van eerste-generatie gastarbeiders en immigranten zonder veel opleiding en met een laag inkomen. Problemen van de allochtone jeugd zijn sociale problemen die door het etnische aspect hoogstens een speciaal karakter krijgen.[9]

1.3 Nieuwe ongerustheid

Naast deze traditionele ongerustheid is er de laatste jaren ook ongerustheid bespeurbaar over het gezin en over de opvoeding die iets breder aanzet. Die ongerustheid betreft niet het *multiproblem*-gezin, of het arme gezin, of het criminele gezin, of het allochtone gezin maar het 'gewone' doorsnee Nederlandse gezin

---

9 Getuige bijvoorbeeld de vele publicaties van P. Jungbluth over sociale klasse en schoolcarrière bij allochtone jongeren. Onder meer: A.B. Dijkstra, P. Jungbluth, S. Ruiter, 'Verzuiling, sociale klasse en etniciteit. Segregatie in het Nederlandse onderwijs', in: *Sociale Wetenschappen*, 44 (2001), nr. 4, p. 24-48; P. Jungbluth, *Etnische achtergrond en sociaal milieu. Verkennende analyses rond structurele en culturele gezinskenmerken en hun betekenis voor schoolprestaties*, Nijmegen: ITS, 1997. Ook: J. Dagevos, A. Odé en T. Pels, *Etnisch-culturele factoren en de maatschappelijke positie van etnische minderheden. Een literatuurstudie*, Rotterdam: Instituut voor Sociologisch-Economisch Onderzoek (ISEO), Erasmus Universiteit, 1999; T. Pels en W. Meeus, 'Opvoeding in Nederlandse en Marokkaanse gezinnen', in: *Tijdschrift orthopedagogie*, 38 (1999), nr. 7-8, p. 330-341.

13

– redelijk tot zeer welvarend, autochtoon, met redelijk tot goed opgeleide ouders, zonder *bijzondere* problemen. Die ongerustheid is vager en ambivalenter. Een gemengd gezelschap van wetenschappers, politici en journalisten meent te moeten constateren dat dat gewone, niet-problematische gezin steeds meer onder druk komt te staan: financieel en organisatorisch. Waar komt die druk vandaan? In de eerste plaats wordt erop gewezen dat mensen met kinderen het *relatief* niet breed hebben. Relatief, dat wil zeggen: in vergelijking met mensen zonder kinderen en in vergelijking met de perioden waarin zij zelf nog geen kinderen hadden of waarin hun kinderen het huis zullen hebben verlaten. In de levensloop van veel mensen is de periode waarin zij de financiële verantwoordelijkheid dragen voor baby's, kleuters, schoolgaande of studerende kinderen een materieel 'dal'. Dat dal ontstaat omdat twee verschijnselen elkaar versterken. Enerzijds komen mensen voor grotere kosten te staan zodra ze kinderen hebben, anderzijds gaan hun inkomsten meestal omlaag omdat één van beiden (vrijwel altijd de vrouw) ten behoeve van de verzorging van het kind minder uren per week gaat werken of zelfs helemaal ophoudt met werken.[10] Nederland kent binnen de Europese Unie het grootste verschil in inkomen tussen mensen met en mensen zonder kinderen.[11] Deze materiële achteruitgang klemt natuurlijk het meest bij eenoudergezinnen en gezinnen met een inkomen beneden modaal, die het toch al niet zo breed hebben. Ouders staan onder druk om ondanks hun financiële achteruitgang toch een bepaalde levensstijl te handhaven en niet achter te blijven bij de algemene stijging van de welvaart en van de consumptie. Dat kan ten koste gaan van hun kinderen. Het bekende voorbeeld is natuur-

10 *Sociaal stelsel en werken* (Bijlage 3 bij *Verkenning Levensloop. Beleidsopties voor leren, werken, zorgen en wonen,* Den Haag: Ministerie van Sociale Zaken en Werkgelegenheid, 2002), p. 11.
11 P. Cuyvers, 'Het gezin als partner. Theorie en praktijk van de moderne christendemocratische gezinspolitiek', in: *Christen Democratische Verkenningen,* (2002), nr. 1 (januari), p. 26-47, met name p. 38.

lijk het dure schoolreisje dat ouders hun kind niet willen ont-
houden.[12] Afgezien van deze materiële druk op gezinnen, is er ook sprake
van wat men zou kunnen noemen: *organisatorische* druk. Er zijn
steeds meer gezinnen die materieel weinig te klagen hebben maar
daarvoor moeten betalen met overmatige drukte, geregel, stress.[13]
Veel ouders moeten kiezen tussen veel geld en weinig tijd of weinig geld en genoeg tijd. In dat opzicht bespaarde het kostwinnerssysteem van vroeger mensen veel gepieker. Omdat één ouder
buitenshuis werkte werd de ander voor dertig jaar of daaromtrent
vrijgesteld voor de opvoeding en het huishouden.[14] Er valt veel
op het kostwinnerssysteem af te dingen, vooral waar het de situatie van de vrouw betreft, maar een zekere eenvoud en efficiën-
tie kan men het niet ontzeggen. Bij wijze van sprekend voorbeeld
van de druk waaraan gezinnen heden ten dage worden blootgesteld, wordt graag verwezen naar het leven van tweeverdieners
met kinderen. Tweeverdienende ouders[15] hebben een zeer sterke
financiële positie maar zij betalen daarvoor een hoge prijs: zij
zouden te weinig tijd en energie over hebben om zich voldoende
om hun kinderen te bekommeren. In deze gezinnen bestaat het risico dat de opvoeding wordt verwaarloosd (bijvoorbeeld wegens
overgrote drukte of werkdruk van de ouders) of met geld en goederen wordt 'afgekocht'. Om hun carrières te kunnen voortzetten

12 Ibidem.
13 *Sociaal stelsel en werken* (Bijlage 3 bij *Verkenning Levensloop. Beleidsopties voor leren, werken, zorgen en wonen,* Den Haag: Ministerie van Sociale Zaken en Werkgelegenheid, 2002), p. 12; C.P. Peters, *The vulnera-
   ble hours of leisure. New patterns of work and free time in the Netherlands,
   1975-95,* Amsterdam: Thela Thesis, 2000. Proefschrift Katholieke Universiteit Brabant. Peters toont aan dat het combineren van zorg en arbeid
   een belangrijke maar niet de enige factor is die 'tijdsarmoede' in de hand
   werkt.
14 P. Cuyvers, 'Het gezin als partner'.
15 Waar we in deze publicatie spreken over *ouders* gelieve te lezen: *ouders
   en/of verzorgers.*

en hun hoge inkomen te kunnen behouden, besteden deze ouders hun kinderen uit aan allerlei vormen van kinderdagopvang en maken ze hen, zodra ze wat ouder zijn, tot 'sleutelkinderen', die voor een groot deel van de dag aan hun lot worden overgelaten. Nu moet men dit voorbeeld, dat vaak in schrille kleuren wordt geschilderd, meteen sterk relativeren door erop te wijzen dat het fenomeen van 'tweeverdieners-met-kinderen' zeer klein is: slechts een paar procent van alle gezinnen kan men tot deze categorie rekenen. Maar de situatie van tweeverdieners wordt vaak opgevoerd als een extreme vorm van de problemen waarmee ook andere gezinnen worstelen. Dezelfde ongerustheid betreft immers in afgezwakte vorm óók de veel talrijkere gezinnen van 'anderhalfverdieners', waarin de man een voltijdbaan heeft en de vrouw een deeltijdbaan. Vaak wordt vermoed dat ook zij te druk zijn om voldoende aandacht te hebben voor de opvoeding van hun kinderen. Ja, de ongerustheid wordt zelfs uitgebreid tot de 'eenverdieners'-gezinnen, de kostwinnersgezinnen, voorzover de ouders er een dermate druk sociaal leven op na houden dat hun aandacht voor de kinderen erbij inschiet. En daarmee zijn dan ongeveer alle gezinnen in het vizier gekomen. Het is een algemeen gevoelen dat de huidige sociale omstandigheden – hoe gunstig deze ook zijn vanuit het zuiver materiële standpunt – op het menselijke vlak ongunstig zijn voor het gezin, vooral voor probleemgezinnen natuurlijk maar op de keper beschouwd voor *alle* gezinnen. Voor een land als Nederland waarin aan de overheid een centrale plaats wordt toegekend waar het rust, orde en welzijn betreft, is het niet verwonderlijk dat in het gezinsdebat vanaf het begin de vraag centraal heeft gestaan of de overheid een actiever beleid moet ontwikkelen om deze druk op gezinnen te verlichten.

Wat moet men nu van de *ernst* van de huidige gezinsproblematiek vinden?

Vooropgesteld moet worden dat er evident een categorie van gezinnen is die ernstige problemen kent – met financiën, met de opvoeding van de kinderen, met hun algehele functioneren in de samenleving. Het zijn autochtone en allochtone gezinnen, hoewel men mag aannemen dat het aantal allochtone gezinnen relatief groot zal zijn, hetgeen niet verwonderlijk is gezien de lage sociaal-economische status en de aanpassingsproblemen van veel van deze gezinnen in de Nederlandse samenleving. Hoe men probleemgezinnen ook wenst te noemen – sociaal-zwakke gezinnen, *multi-problem*-gezinnen enzovoort – het staat buiten kijf dat de overheid en daarvoor bestemde particuliere organisaties ten opzichte van deze gezinnen een taak hebben. Die kwestie is sinds een eeuw in feite al beslecht. De vraag *hoe* deze gezinnen geholpen kunnen worden is echter nog nooit definitief beantwoord, en zal waarschijnlijk ook nooit definitief beantwoord worden. De discussie daarover zwenkt al decennia lang tussen de polen van vrijwilligheid en dwang, hulp en repressie, verontschuldiging en eigen verantwoordelijkheid. De recente discussie over verplichte opvoedingscursussen voor ouders van criminele jonge kinderen is het zoveelste stapje op een eindeloos pad. Laten we er geen doekjes om winden: de overheid en alle betrokken organisaties moeten hun uiterste best doen voor deze gezinnen, zowel ten behoeve van die gezinnen zelf als ten behoeve van de samenleving als geheel, maar niemand moet de illusie koesteren of, erger nog, de suggestie wekken dat het hier een oplosbare problematiek betreft *als* de politieke wil er maar is, *als* er maar voldoende geld is, *als* er maar voldoende personeel is enzovoort. Er zullen *altijd* probleemgezinnen zijn, maar men kan hen naar vermogen helpen en ernaar streven hun aantal zo klein mogelijk te maken en te houden. Zonder de individuele problematiek van deze gezinnen en de maatschappelijke symptomen ervan – met name jeugdcriminaliteit – te willen bagatelliseren, kan men vaststellen dat het hier een minderheidsproblematiek betreft. Maar wat te denken van de 'nieuwe ongerustheid': over de druk waaraan 'gewone' Nederlandse gezinnen zijn blootgesteld?[16]

16 M. Niphuis-Nell, 'Beleid inzake herverdeling van onbetaalde en betaalde arbeid', in: idem (red.), *Sociale atlas van de vrouw*, deel 4: *Veranderingen in de primaire leefsfeer* (Rijswijk: SCP, 1997), hoofdstuk 10; I. Esveldt en H. Moors, 'Kinderen én een baan. De problemen van werkende ouders belicht', in: *Demos,* 17 (2001), nr. 9 (nov.-dec.); I. Esveldt, 'Zorgen voor kinderen. Dilemma's werkende ouders rond uitbesteding', in: *Demos,* 18 (2002), nr. 8 (sept.).

1.4 Het gezin als ideologisch thema

'Het gezin' is bepaald geen neutraal fenomeen. Van den Brink wijst erop dat elke discussie over het gezin een normatief karakter heeft, zelfs waar ogenschijnlijk neutrale wetenschappers aan het woord zijn. Wie zich over het gezin uitlaat, laat ook iets blijken van zijn of haar opvattingen over man-vrouwrelaties, over (goede) opvoeding en, uiteindelijk, over de samenleving als geheel. In sommige denkstromingen wordt het gezin beschouwd als de hoeksteen van de samenleving die koste wat kost beschermd moet worden. Zo hebben christelijke groeperingen en kerkgenootschappen sinds de negentiende eeuw het gezin geprezen als de plaats waar het geloof wordt doorgegeven en als een kweekplaats van christelijke burgers. Autoritaire en/of conservatieve regimes hebben het gezin beschouwd als de basis van de nationale macht en hebben het gesteund op grond van demografische en militaire overwegingen. Andere stromingen beschouwen het gezin daarentegen als de grootste sta-in-de-weg voor verandering, vooruitgang en menselijk geluk. Zo hebben Franse, Russische en Chinese revolutionairen geprobeerd het gezin af te schaffen ten gunste van collectivistische alternatieven en hebben radicale feministes in de loop van de twintigste eeuw het gezin als een instrument van vrouwenonderdrukking de oorlog verklaard. Al deze ideologieën en stromingen hebben minstens één ding gemeen: ze vinden het gezin heel belangrijk. Een tegengeluid klinkt hoogstens in de liberale stroming. Veel liberalen (maar niet allen!) beschouwen het gezin niet als publieke zaak maar als een privé-samenlevingsvorm waartegenover zowel de individuele burger als de overheid zich slechts indifferent kan opstellen. Hoewel ook het huidige debat over het gezin in Nederland gevoed wordt door politieke, sociale en religieuze denkbeelden, heeft het thema hier nog niet zo'n zware ideologische lading gekregen als elders. Het is bijvoorbeeld vooralsnog niet in uitgesproken conservatief of progressief vaarwater terechtgekomen, dit in tegenstelling tot de Verenigde Staten waar *family values* al sinds jaar en dag de strijdkreet is van conservatieve groeperingen die zich keren tegen alles wat in hun ogen vies en voos is in de maatschappij en tegen de *liberals* die er allemaal wat lichter over denken. Zo scherp zijn de tegenstellingen in Nederland niet.

1.5 Het gezin tussen continuïteit en verandering

In het midden van de twintigste eeuw domineerde in Nederland een heel specifiek gezinstype dat in de literatuur als het 'moderne standaardgezin' wordt aangeduid: het gezin dat een aparte sociale eenheid vormt, tamelijk losstaand van familie, buurt of kerk; het gezin dat gebaseerd is op een huwelijk op grond van affectiviteit en kameraadschap; dat gekenmerkt wordt door een strikte taakverdeling tussen de man (kostwinner buitenshuis) en de vrouw (huisvrouw en moeder), door een beperkt kindertal en door de grote emotionele en materiële investering die de ouders in hun kinderen doen.[17] Volgens sommige historici is dit gezinstype een verdere ontwikkeling van het negentiende-eeuwse burgerlijke gezinstype dat met het stijgen van de welvaart ook voor andere sociale groepen financieel haalbaar werd. Het beleefde een bloeiperiode in de eerste decennia na de Tweede Wereldoorlog om vervolgens, naarmate de welvaart nog verder steeg, steeds meer 'concurrentie' te krijgen van alleenstaanden, ongehuwd samenwonenden, eenoudergezinnen en eenpersoonshuishoudens.[18] Dat is het conventionele beeld van de opkomst en neergang van wat men populair het 'jaren-vijftiggezin' zou kunnen noemen. Maar klopt dat beeld? Is het hierboven geschetste gezinstype werkelijk op zijn retour?

Als men kijkt naar het totale aantal huishoudens in Nederland – dat zijn er zo'n 6,7 miljoen – dan blijkt ruwweg een derde te be-

17 T. Zwaan, 'Recente transities in huwelijk, gezin en levenscyclus', in: T. Zwaan (red.), *Familie, huwelijk en gezin in West-Europa* (Amsterdam: Boom, Heerlen: Open Universiteit, 1993), p. 240-264, met name p. 240.
18 Ali de Regt, 'Het ontstaan van het 'moderne' gezin, 1900-1950', in: Zwaan, *Familie, huwelijk en gezin in West-Europa*, p. 219-239, met name p. 218.

staan uit alleenstaanden, een derde uit paren zonder kinderen en een derde uit een of meer ouders met kinderen (maar niet noodzakelijk gezinnen van het hierboven beschreven standaardtype). De categorieën alleenstaanden en paren zonder kinderen zijn de afgelopen decennia in omvang gegroeid.[19] Het gezin neemt dus relatief niet meer zo'n dominante positie in als in het midden van de twintigste eeuw, maar in absolute zin is het gezin nog steeds de dominante leefvorm. In de eerste plaats omdat ruim negen miljoen Nederlanders, dat wil zeggen: meer dan de helft, deel uitmaken van een gezin. In de tweede plaats omdat het gezin in de levensloop van verreweg de meeste Nederlanders nog steeds de dominante leefvorm is. Vrijwel alle Nederlanders brengen een belangrijk deel van hun leven door in gezinsverband, eerst als kind en later vaak als ouder. Maar evenzoveel mensen brengen een groot deel van hun leven buiten gezinsverband door: zonder kinderen, alleen of met een partner. Een momentopname kan dan wel de indruk wekken van een samenleving waarin het gezin een minderheidsverschijnsel is geworden maar in de levensloop van de burgers, en in hun eigen beleving, is dat helemaal niet zo. Het gezin is blijven domineren ondanks de 'concurrentie' van andere leefvormen; het is bijvoorbeeld nog altijd de structuur waarin vrijwel alle kinderen geboren en opgevoed worden. Dat wil echter niet zeggen dat er eigenlijk niets veranderd zou zijn. Dat is niet zo: de sociale omgeving van het gezin en het gezin zelf zijn veranderd.[20]

Wat het gezin zelf betreft heeft het standaardtype terrein verloren ten gunste van grotere variëteit. De belangrijkste variant is ongetwijfeld het eenoudergezin. Hoewel er veel over geschreven en gesproken wordt moet men zich evenwel van deze ontwikke-

---

19 In 1960 bestond maar 12% van alle huishoudens uit één persoon, in 2000 was dat 33% en dat percentage zal nog verder stijgen. Zie: *Levensloop en gezin* (Den Haag: Nederlandse Gezinsraad, [2001]), p. 1.

20 Een zeer handzaam overzicht van deze veranderingen is de al eerder genoemde coproductie van de Nederlandse Gezinsraad en het Centraal Bureau voor de Statistiek: *Levensloop en gezin*.

ling geen overdreven voorstelling maken: slechts één op de tien kinderen onder de twintig jaar woont bij één van de ouders. Dat is méér dan pakweg veertig jaar geleden maar toch nog een kleine minderheid. Het eenoudergezin is in verreweg de meeste gevallen geen vrijwillig gekozen alternatief maar een noodoplossing, teweeggebracht door overlijden of, vaker, echtscheiding. Het aantal echtscheidingen is vooral na de jaren zestig toegenomen. Daardoor is niet alleen het aantal alleenstaande ouders maar ook het aantal stiefoudergezinnen toegenomen ten opzichte van de voorafgaande periode (maar niet noodzakelijk in vergelijking met een nog eerdere periode waarin vroegtijdig overlijden van ouders eveneens een relatief groot aantal alleenstaande ouders en stiefoudergezinnen veroorzaakte). Een tweede belangrijke verandering ten opzichte van het standaardgezin is het vervagen van de taakverdeling tussen de man als kostwinner en de vrouw als huisvrouw en moeder. We spreken van 'vervagen', niet van verdwijnen want niet alleen bestaan er nog heel veel gezinnen van het 'kostwinnerstype' maar ook in andere gezinnen, waar de vrouw ook buitenshuis werkt, ziet men de grondtrekken van het kostwinnerstype nog steeds terug in het feit dat de vrouw meestal de kleinste baan heeft en de meest omvangrijke taak in het huishouden en in de opvoeding. Op dat verschijnsel komen we nog uitgebreid terug.

Er hebben zich nog andere veranderingen voltrokken. De afgelopen decennia is de gemiddelde huwelijksleeftijd gestaag omhoog gegaan. Daardoor wordt het huwelijk in het leven van de meeste burgers voorafgegaan door een hele levensfase waarin ze alleen of met een partner al hun eigen weg in het leven hebben trachten te vinden. Slechts een kleine minderheid trouwt nog vanuit het ouderlijk huis. Vervolgens wordt ook het moment waarop het eerste kind wordt geboren, steeds verder uitgesteld omdat man en vrouw eerst nog enkele jaren volop willen studeren of werken: nergens op de wereld is de gemiddelde leeftijd waarop vrouwen hun eerste kind krijgen zo hoog als in Nederland. Ten slotte is het aantal kinderen per gezin veel kleiner geworden: dankzij effectieve middelen tot geboorteregeling kunnen stellen hierin een bewuste keuze maken. Ze kiezen veel vaker dan de generatie van hun ouders voor één kind, twee kinderen of hoogstens drie kinderen.

Deze ontwikkelingen zijn in de eerste plaats mogelijk gemaakt, respectievelijk in de hand gewerkt, door de toegenomen welvaart. De materiële welvaart heeft de scala aan levenskeuzes voor mensen vergroot en hun onderlinge afhankelijkheid verkleind: de afhankelijkheid van huwelijkspartners van elkaar, de afhankelijkheid van jeugdigen van hun ouders, de afhankelijkheid van ouderen van hun kinderen en de afhankelijkheid van allen van familie, buurt, kerk. Parallel aan (en zeker niet los van) die ontwikkeling hebben traditionele godsdienstige en morele normen terrein moeten prijsgeven, waardoor gewilde kinderloosheid, echtscheidingen, ongehuwd samenwonen en homoseksuele relaties voor de meeste Nederlanders acceptabele keuzes zijn geworden. Ook op het terrein van cultuur en levensgevoel worden deze maatschappelijke ontwikkelingen weerspiegeld, namelijk in een grotere sociale en psychische zelfstandigheid(sbeleving) van het individu, in andere criteria voor een goede relatie tussen man en vrouw, in een grotere nadruk op autonomie en zelfstandigheid in de opvoeding, in de vervanging van de onmiddellijke sociale omgeving van familie, buren en vrienden als primaire referentie door een netwerk van soms zeer verspreid wonende familieleden, vrienden en bekenden.

Ook in de omgeving van gezinnen is de afgelopen veertig jaar veel veranderd, eveneens vooral als een gevolg van de toenemende welvaart, soms als gevolg van culturele verandering, soms als gevolg van medische vooruitgang. Er zijn tegenwoordig zowel relatief als absoluut veel meer afzonderlijke huishoudens dan een halve eeuw geleden. Meer jeugdigen en jongvolwassenen wonen tegenwoordig op zichzelf. Ze worden daartoe in staat gesteld door eigen inkomen uit werk, oudertoelages, studiefinanciering of sociale uitkeringen én door het feit dat hun ouders het inkomen van hun kinderen niet zélf nodig hebben om de eindjes aan elkaar te knopen. Het aantal huishoudens is ook toegenomen door de toename van het aantal scheidingen, waardoor het aantal alleenstaanden en alleenstaande ouders is toegenomen. Een betere gezondheid, sociale voorzieningen en goede pensioenen stellen ook steeds meer ouderen in staat om, onafhankelijk van hun kinderen, een eigen huishouden te blijven voeren totdat zij om gezondheidsredenen naar een of andere zorgvoorziening moeten verhuizen. Een andere verandering betreft kinderloosheid: vroeger was kinderloosheid vrijwel altijd onvrijwillig en een ramp voor de betrokken man en vrouw, tegenwoordig zijn er veel stellen die bewust van kinderen afzien zonder dat zij daar door hun omgeving op aangekeken worden. En ten slotte zijn er veel meer samenwonende stellen dan vroeger, vooral onder jongeren maar ook onder ouderen, ja zelfs onder bejaarden. De motieven zijn uiteenlopend: afkeer van het huwelijk, de wens om een relatie op proef te beginnen, maar ook financiële overwegingen in verband met uitkeringen e.d.

Hierboven zijn enkele globale veranderingen geschetst maar globale gegevens en statistische gemiddelden zeggen weinig over afzonderlijke categorieën van gezinnen, laat staan over het individuele gezin. De ontwikkeling is in feite heel complex, mede door een hoge mate van sociale en culturele gelaagdheid. Gezinnen van verschillende sociale groepen vertonen uiteenlopende ontwikkelingen die soms dichtbij elkaar liggen, soms ver van elkaar afstaan.[21] Deze nuance lijkt de laatste jaren zeer op haar plaats, nu allochtone gezinnen zich meer en meer manifesteren als delen van de Nederlandse samenleving. De globale veranderingen die het Nederlandse gezin heeft ondergaan zijn onmiskenbaar en belangrijk maar sommige auteurs waarschuwen terecht dat men daaruit niet moet concluderen dat er sprake is van een lineair continu proces, van een voortgaande beweging van

21 H. van Setten, *In de schoot van het gezin. Opvoedingscondities in Nederlandse gezinnen in de twintigste eeuw* (Nijmegen, z.u., 1986), p. 144-164; C.J. Straver, A.M. van der Heiden, R.W.F. van der Vliet, *De huwelijkse logica. Huwelijksmodel en huwelijksinrichting van het samenleven van arbeiders en anderen* (Leiden: D.S.W.O. Press, 1994. Nisso-onderzoek), p. 9, 13.

'premodern' via 'modern' naar 'postmodern', van een ontwikkeling met voorlopers en achterblijvers, laat staan van een ontwikkeling naar een vooropgezet ideaal modern gezin.

1.6 Wat is een 'gezin' en over welk gezin gaat het?

Tot nu toe is in deze publicatie onbekommerd over 'het gezin' gesproken, alsof het voor iedereen meteen zonneklaar is wat daarmee bedoeld wordt. Dat is tot op zekere hoogte ook zo: verreweg de meeste Nederlanders zullen bij 'gezin' denken aan een man, een vrouw met één of meer kinderen die samen een huis bewonen. Toch maakt de huidige maatschappelijke situatie een preciezere omschrijving noodzakelijk. Bovendien is het een goed gebruik om, als men een onderwerp bespreekt, eerst duidelijk te zeggen waarover men het wil hebben. Deze publicatie gaat over 'het gezin'. Maar wat is dat, 'het gezin'? Een definitie van 'gezin' is belangrijk, niet als intellectuele exercitie maar om het onderwerp uit te breiden of te beperken. Elke definitie is echter aanvechtbaar. Wellicht is dat de reden waarom in het Burgerlijk Wetboek geen enkele definitie van 'gezin' te vinden is, hoewel de term herhaaldelijk gebruikt wordt. Wie echter afziet van een definitie wekt de indruk impliciet aan te willen sluiten bij het spraakgebruik waarin, zoal gezegd, met 'het gezin' zoiets bedoeld wordt als: *een gehuwd heteroseksueel paar met eigen kind(eren), wonend in één huis*. Die definitie is tamelijk beperkt. Daartegenover zijn zeer brede definities mogelijk, bijvoorbeeld: *een gezin is elke relatievorm van wederkerigheid en wederzijdsheid*. Zo'n definitie is veelomvattend maar sluit nauwelijks aan bij het spraakgebruik. Alle andere definities leggen de nadruk op één aspect. Zo hanteert het CBS in zijn onderzoeken een tamelijk beperkte definitie: *een gezin is een gehuwd of samenwonend paar met of zonder inwonende kinderen*. Daarin ligt de nadruk op het *paar* dat een gezamenlijk huishouden voert. Dat geldt ook voor deze brede, enigszins 'biologische' definitie: *een gezin is een samenlevingseenheid met een seksuele relatie als basis*. In die definitie worden twee elementen verenigd die zeer fundamenteel zijn,

24

namelijk het economische element (gedeeld inkomen, gedeeld huishouden) en het element van seksualiteit (en potentiële voortplanting). In de context van de Nederlandse samenleving zijn deze twee definities praktisch bruikbaar, omdat zij het gezinsbegrip niet afhankelijk stellen van de formele status van een relatie (huwelijk, samenlevingscontract, samenwonen). Dat zij het gezinsbegrip niet afhankelijk maken van de aanwezigheid van kinderen strijdt echter met de alledaagse opvatting van 'gezin', waarin de aanwezigheid van kinderen als vanzelfsprekend wordt aangenomen. De Nederlandse Gezinsraad (NGR) heeft de volgende definitie naar voren gebracht: *een gezin is een leefeenheid met kinderen.* Die definitie sluit nauw aan bij het spraakgebruik maar is anderzijds breed genoeg om ook min of meer alternatieve leefvormen in te sluiten. Kinderloze paren vallen er echter niet onder. Bovendien kan de term 'leefeenheid' verwarring oproepen. In de definitie die de Nederlandse regering hanteert voor beleidsdoeleinden – *een leefeenheid van minstens één volwassene die de zorg heeft voor minstens één kind* – wordt dat laatste nadeel ondervangen. Opvallend is de definitie die het wetenschappelijk bureau van het CDA heeft voorgesteld: *elk leefverband waarin een volwassene duurzaam verantwoordelijkheid op zich heeft genomen voor een andere volwassene en/of voor de verzorging en opvoeding van eventuele kinderen.*[22] Daarin wordt het element van 'voor elkaar zorgen' benadrukt, zodat ook kinderloze stellen en allerlei samenlevingsvormen van volwassenen eronder vallen. In deze publicatie wordt voor de definitie van de regering gekozen, omdat zij (a) breed genoeg is om allerlei leefvormen te omvatten, (b) de aanwezigheid van kinderen veronderstelt, die in het normale Nederlandse spraakgebruik een essentieel kenmerk van 'gezinnen' is, en (c) het element 'zorg' noemt, dat voor de redenering van de studiegroep van centraal

---

22 *De verzwegen keuze van Nederland. Naar een christen-democratisch familie- en gezinsbeleid* (Den Haag: Wetenschappelijk Instituut van het CDA, 1997), p. 26.

25

belang zal zijn. Het enige nadeel van deze definitie lijkt te zijn dat zij door haar breedheid enigszins vooruitloopt op wat Nederlanders in het dagelijkse spraakgebruik onder 'gezin' verstaan.[23] Er is nog een tweede aspect dat hier aan de orde moet worden gesteld. Het gaat in deze publicatie over het gezin in de brede definitie die hierboven is gegeven, maar het gaat ook over het 'normale' gezin, dat wil zeggen het gezin zonder bijzondere, voor dat ene gezin specifieke problemen. Bij uitbreiding gaat deze publicatie ook niet over probleemjeugd – jeugd met bijzondere, specifieke problemen – maar over de normale, zo men wil: doorsnee, jeugd. Natuurlijk is het onderscheid tussen 'gewone' gezinnen en 'probleemgezinnen' en tussen 'gewone' jeugd en 'probleemjeugd' niet scherp maar we willen slechts onderstrepen dat deze tekst niet gaat over probleemgezinnen en probleemjeugd. De reden daarvoor ligt voor de hand: dat de overheid tegenover deze categorieën een *corrigerende* taak heeft is in Nederland minstens sinds de invoering van de *Kinderwetten* in 1901 in feite onomstreden. Er wordt alleen voortdurend gedebatteerd over de vraag hoe een en ander het beste kan worden aangepakt. De vraag of de overheid tot taak heeft het gewone doorsnee gezin te steunen, is daarentegen nog niet beantwoord, laat staan de vraag wát de overheid zou kunnen ondernemen om dat gezin te ondersteunen. In het geval van probleemgezinnen en probleemjeugd gaat de discussie over gerichte vormen van gezinshulpverlening of jeugdhulpverlening, al dan niet met een bijbehorende wetgeving – activiteiten die men als *corrigerend* zou kunnen bestempelen: de overheid treedt op wanneer het met een gezin of met jongeren ernstig mis gaat. In deze publicatie gaat het niet over corrigerend optreden maar over *faciliterend* of *ondersteunend* optreden, over generieke maatregelen die de overheid zou kunnen nemen om het Nederlandse gezin te steunen.

23 Opmerking van het Sociaal-Cultureel Planbureau. Verg. *Het gezin in de verkiezingsprogramma's 1998* (Den Haag: NGR, 1998), p. 16-17.

2 Het gezin en de overheid

2.1 Overheid en gezin in het verleden

Wanneer het gaat om de taak van de overheid tegenover het gezin, moet er eerst op gewezen worden dat de overheid al heel lang direct of indirect invloed uitoefent op het gezin. Sinds de negentiende eeuw tot op de dag van vandaag is er een voortdurend gevoelen geweest dat er, door particulier initiatief of door de overheid, iets ondernomen moest worden ten bate van 'het gezin' of preciezer: het gezin van de lagere klassen. Want bezorgdheid over en bemoeienis met het gezin was in het verleden altijd een zaak van de beter gesitueerden jegens hun armere landgenoten. Steeds weer is met allerlei methoden geprobeerd om aan problematische gezinnen te sleutelen, om 'achtergebleven' gezinnen bij te tijd te brengen, om onmaatschappelijke gezinnen te (re)socialiseren, om arme gezinnen een bestaansbodem te geven. Aanvankelijk droegen deze pogingen enigszins een dwangkarakter, bijvoorbeeld in die zin dat er aan financiële of materiële ondersteuning bepaalde voorwaarden werden verbonden aangaande het gedrag van de gezinsleden. Later werden er meer subtiele pogingen ondernomen om ouders te wijzen op het belang van een bewuste opvoeding en van aandacht voor de emotionele ontwikkeling van hun kinderen.[24] Bemoeienis met de kinderen zelf beperkte zich aanvankelijk echter tot opvoedings- en onderwijssituaties buiten de directe gezinssfeer. Men denke aan het verbod op kinderarbeid en aan de invoering van de leerplicht. Eind negentiende, begin twintigste eeuw is die bemoeienis intensiever geworden door de introductie van de *Kinderwetten* (die bemoeienis met de opvoeding tegen de zin van de ouders moge-

---

24 Van Setten, *In de schoot van het gezin*, p. 148-158, Ali de Regt, 'Arbeiders, burgers en boeren. Gezinsleven in de negentiende eeuw', in: Zwaan, *Familie, huwelijk en gezin in West-Europa*, p. 193-218, met name p. 201.

lijk maakten), het ontstaan van allerlei hulpverleningsinstanties, de opkomst van kindertehuizen en voogdijgestichten, maar ook door de opkomst van de jeugdbeweging die een opvoedende taak trachtte te vervullen ten behoeve van de opgroeiende jeugd. In deze periode is ook de vraag beslecht of de overheid een taak heeft tegenover het problematische gezin. Die vraag werd bevestigend beantwoord. Dat ging niet zonder slag of stoot, want zowel het verbod op kinderarbeid, als de Leerplichtwet en de Kinderwetten stuitten op heel wat politiek verzet van degenen die vonden dat het gezin zozeer een exclusieve privé-sfeer was dat de overheid zich daar niet mee behoorde te bemoeien tenzij ouders of kinderen strafrechtelijk over de schreef gingen. De genoemde wetgeving geeft aan dat dit verzet uiteindelijk is gebroken of met compromissen gesust.

De meest radicale pogingen om het gezin te 'verheffen' of te beschaven zijn in de jaren 1930-1960 ondernomen. Dat overheidsbemoeienis met het probleemgezin inmiddels geaccepteerd was, zal daarbij zeker een rol hebben gespeeld, maar er waren vermoedelijk ook nog andere mechanismen aan het werk. Volgens Van Setten begonnen de uiterlijke verschillen in levensstijl tussen de klassen ten gevolge van de toenemende welvaart te vervagen terwijl de hogere klassen de innerlijke verschillen als heel groot ervoeren. Daarom probeerde men de innerlijke beschaving van de arbeidersklasse te verhogen zodat er nieuwe harmonie zou ontstaan. Toch hadden deze beschavingspogingen een ambivalent karakter: zij waren erop gericht 'onmaatschappelijke' gezinnen te beschaven maar zij lieten tegelijkertijd de sociale afstanden zoveel mogelijk in stand. De Regt heeft een wat andere verklaring voor de extra activiteit in het midden van de twintigste eeuw: door de toenemende 'verburgerlijking' van de gezinnen van vooral geschoolde arbeiders begonnen de arbeidersgezinnen die aan deze verburgerlijking geen deel hadden meer op te vallen als 'onmaatschappelijk' en 'ontoelaatbaar'.[25]

25 De Regt, 'Het ontstaan van het 'moderne' gezin', p. 226.

2.2 Gezinsbeleid als overheidstaak

De overheid bemoeit zich al meer dan een eeuw met het gezin, zoals we zagen. Daarbij ging het echter vooral om het problematische gezin, niet om het gezin in het algemeen. Dat laatste is nu wel aan de orde. Overheidsbemoeienis met problematische gezinnen is heden ten dage vrijwel onomstreden maar overheidsbemoeienis met 'gewone' gezinnen niet. Vanuit een principieel oogpunt kan men betogen *dat de overheid tot taak heeft om algemene maatschappelijke belangen te behartigen voorzover die om financiële of organisatorische redenen niet door burgers zélf, individueel of gezamenlijk, behartigd kunnen worden.* De eerste subvraag luidt dan ook: vertegenwoordigt het goede functioneren van gezinnen een maatschappelijk belang? De tweede subvraag luidt: kan dat belang door de burgers zelf, individueel of in georganiseerd verband, worden behartigd of niet?

Wat de eerste subvraag betreft, kan men zowel 'harde' zakelijke argumenten *pro* aanvoeren als 'zachte' argumenten. Het eerste zakelijke argument ligt voor de hand: het gezin vertegenwoordigt een maatschappelijk belang omdat verreweg de meeste kinderen in gezinnen geboren worden. Kinderen vertegenwoordigen de continuïteit van de samenleving. Als zij in een goede context geboren en opgevoed worden, dan kan de samenleving daar alleen maar van profiteren. Op de korte termijn doordat een goed opgevoede jeugd minder problemen veroorzaakt in de vorm van sociale onrust en criminaliteit. Op de langere termijn, omdat de jongeren van nu de volwassenen van morgen zijn die de economie draaiende moeten houden, belasting en sociale premies moeten betalen enz. Met andere woorden: het is gewoon regelrecht eigenbelang van een samenleving om goed voor haar jeugd te zorgen. Het zachte argument wordt in Nederland vooral door de christen-democraten uitgedragen: het gezin is dé plaats in de samenleving waar positieve menselijke waarden als zorg, geborgenheid, onderlinge liefde en solidariteit een plaats vinden. De maatschappij is uit haar aard hard en zakelijk; het is voor het algemene welzijn, meer in het bijzonder voor het welzijn van kinderen, van het grootste belang dat het gezin een *safe haven* vormt in deze maatschappij. Aangezien de overheid tot taak heeft het algemene welzijn te bevorderen, moet haar ook het welzijn van gezinnen – van alle gezinnen, niet alleen van probleemgezinnen – ter harte gaan. Dit argument staat los van maatschappelijk eigenbelang. Het is een moreel goed dat gezinnen goed functioneren en dat kinderen een warm thuis hebben – ongeacht of de samenleving daar later vruchten van plukt. De onuitgesproken veronderstelling is natuurlijk dat de samenleving uiteindelijk wel degelijk de vruchten plukt van positief gezinsbeleid, zij het wellicht op een niet kwantificeerbare wijze, door een *betere* samenleving te worden. Aan de tweede sub-vraag gaat de vraag vooraf wat burgers, individueel of in georganiseerd verband, nu eigenlijk vermogen. In het alledaagse leven kunnen gezinnen natuurlijk een heleboel doen om hun situatie en hun functioneren te verbeteren. Ook al betreft dat altijd kleinschalige verbeteringen, toch kunnen ouders erop worden aangesproken dat zij zich inspannen voor hun eigen gezin. Steun van de overheid ontheft ouders natuurlijk niet van die verantwoordelijkheid. De vraag of gezinnen steun behoeven, heeft echter niet zozeer te maken met persoonlijke kwaliteiten of tekortkomingen van ouders als wel met structurele problemen rond financiën, arbeid, opvoeding. En juist aan die structurele problemen kunnen burgers individueel niet veel doen. Burgers treden in de samenleving evenwel niet alleen op als losstaande individuen of als leden van een klein kerngezin maar ook in functies en in georganiseerd verband als ondernemers, als werknemers en als leden van maatschappelijke organisaties. Tussen de overheid en de individuele burger bevindt zich een breed terrein waarop zich niet alleen de *profit*-sector van het bedrijfsleven beweegt maar ook het 'middenveld' van *non-profit* maatschappelijke organisaties, dat wil zeggen: organisaties waarin mensen vrijwillig en collectief zich inzetten voor de voorziening van een bepaald belang of goed.[26]

26 W. van de Donk, *De gedragen gemeenschap. Over katholiek maatschappelijk organiseren de ontzuiling voorbij* (Den Haag: SDU, 2001). p. 9.

Men kan denken aan vakbonden, politieke partijen, belangenorganisaties van allerlei pluimage, onderwijs- en zorgstichtingen en -koepels, maar ook talrijke grote en kleine verenigingen en stichtingen die een ideëel doel nastreven of een bepaalde dienst leveren. Op dit maatschappelijke niveau tussen burgers en overheid, waar de burgers zich in georganiseerd verband manifesteren, kunnen structurele problemen van gezinnen zowel worden veroorzaakt als worden opgelost. Zo hebben veel problemen die te maken hebben met arbeid hun oorsprong in het bedrijfsleven en hebben sommige problemen die te maken hebben met zorg hun oorsprong in het onderwijs of de gezondheidszorg. Maar er zijn op dit niveau ook talloze mogelijkheden om de problemen van gezinnen te verzachten of op te lossen. Dat gaat echter niet vanzelf.

Het bedrijfsleven stelt zichzelf vooral economische doelen: het maken van winst, de continuering en uitbreiding van de eigen activiteiten. Dat wil niet zeggen dat van het bedrijfsleven niets te verwachten zou zijn wanneer het gaat om de verbetering van de omstandigheden van gezinnen. Het Nederlandse bedrijfsleven heeft vaak genoeg bewezen dat het bereid is om sociale verantwoordelijkheden op zich te nemen – uit verlicht eigenbelang natuurlijk, maar toch. Het bedrijfsleven zal echter zelden dergelijke verantwoordelijkheden op zich nemen zonder daartoe op de een of andere manier van buitenaf onder druk gezet te zijn. In tegenstelling tot het bedrijfsleven, streven de organisaties op het maatschappelijke middenveld niet naar winst maar naar het leveren van bepaalde diensten of naar de verwezenlijking van bepaalde doelen. Die doelen kunnen betrekking hebben op materiële zaken maar zij hebben ook altijd een ideële component. Het middenveld kent echter geen eenheid van belangen, geen eenheid van inzichten, geen eenheid van beleid. Er heersen belangentegenstellingen en tegengestelde inzichten. Dat is begrijpelijk want het middenveld vertegenwoordigt een samenleving waarin nu eenmaal belangentegenstellingen en tegengestelde inzichten heersen. Wanneer een heel concreet doel aan de orde is, zoals de ondersteuning van het gezin, kunnen de veelheid en de diversiteit van het middenveld tot patstellingen leiden. Bovendien zijn er grenzen aan de financiële en organisatorische mogelijkheden van het middenveld, dat immers uit organisaties bestaat die alle een beperkte omvang en een beperkte financiële en personele capaciteit hebben. Het is niet voor niets dat veel van deze organisaties direct of indirect afhankelijk zijn van financiële ondersteuning door de overheid. Kortom: het middenveld kan veel bereiken, iedere organisatie op haar eigen terrein, maar er zijn grenzen gesteld aan wat het middenveld zonder overheid vermag. Hoe omvangrijker het probleem hoe eerder dat laatste aan het licht komt. Dan komt de rol van de overheid aan de orde. Waarnaar streeft de overheid? Niet naar winst: de overheid is geen bedrijf. Maar ook niet naar één ideëel doel of naar één bepaalde voorziening: de overheid is méér dan een maatschappelijke organisatie. Natuurlijk, in de praktijk van alledag probeert de overheid zichzelf in stand te houden, haar invloed uit te breiden en haar financiële positie te verstevigen, maar het principiële doel van de overheid is toch het algemene welzijn van de burgers van het land, zoals dat gedefinieerd wordt door de politieke krachten die de overheid sturen. Dat streven naar algemeen welzijn vergt een voortdurende afweging van belangen. Die afweging is bij uitstek een taak van de overheid die in een democratisch politiek bestel immers een afspiegeling van maatschappelijke krachten behoort te zijn. Natuurlijk prevaleert in de boezem van de overheid soms het ene belang en soms het andere, al naargelang de politieke krachtsverhoudingen, maar op de langere termijn speelt de overheid de rol van een scheidsrechter. In Nederland na de Tweede Wereldoorlog heeft de overheid deze rol met verve gespeeld: er is een sterke traditie opgebouwd in het oplossen van maatschappelijke problemen door overleg tussen de overheid, de maatschappelijke organisaties en het bedrijfsleven. In dat overleg speelt de overheid mee door te initiëren en te bemiddelen, door te financieren en te bevorderen, maar ook door te remmen of te verbieden. Ook wanneer het gaat om de problemen waarmee het gewone Nederlandse gezin geconfronteerd wordt, kan er op dit niveau veel bereikt worden. Heel concrete zaken kunnen daar geregeld worden en wórden daar ook geregeld. Men denke bijvoorbeeld aan allerlei zaken die met arbeidsvoorwaarden van doen hebben of aan kinderopvangvoorzieningen.

We hebben nu gesproken over de vraag of de overheid vanuit principieel oogpunt een taak heeft ten aanzien van het gezin. Die vraag kan bevestigend beantwoord worden, omdat de mogelijkheden van individuen en van particuliere organisaties beperkt zijn. Er is nog een ander, meer praktisch argument om de taak van de overheid te onderstrepen. Dat argument luidt dat de overheid in feite grote invloed uitoefent op het gezin, ongeacht of zij zichzelf ten aanzien van het gezin een taak aanmeet en ongeacht wat men daar vanuit principieel standpunt over mag menen.[27]

2.3 De grenzen van gezinsbeleid

Als gezinsbeleid een taak van de overheid is, doet zich de vraag voor hoever de werking van de overheid in de richting van het gezin mag reiken. Er zijn in het verleden genoeg overheden geweest (niet in Nederland, maar elders) die zich zeer intensief met het gezin hebben beziggehouden, maar niet altijd in positieve zin. Meestal werden daarbij doeleinden nagestreefd die het gezin zelf niet ten goede kwamen, zoals economische macht, militaire macht, ideologisch conformisme of een of andere maatschappelijke utopie. In onze samenleving zijn we heel gevoelig voor directe ingrepen in de privé-sfeer, of die nu plaatsvinden door individuen, door organisaties of door de overheid. Er heerst een sterk gevoel dat iedereen binnen de grenzen van wet en redelijkheid het recht heeft zijn eigen leven (en dus ook het leven van het eigen gezin) in te richten zonder bemoeienis van buitenstaanders. Dat neemt niet weg dat iedereen weet dat het privéleven van burgers in veel opzichten helemaal niet zo 'privé' is.

27 H. Schulze, 'Opvoeding tot gezinsbeleid: procedurevoorstel voor een kindgerichte oriëntatie', in: *Tijdschrift voor Orthopedagogiek*, 40 (2001), p. 63-82. Dit artikel is Schulzes inaugurale rede, november 2000.

Op tal van manieren oefent de samenleving, en meer in het bijzonder de overheid, een grote invloed uit op dat privé-leven. Zolang die invloed aan wetten en regels gebonden is en, belangrijker nog, een indirect en dus min of meer onmerkbaar karakter heeft, kunnen burgers daar vrede mee hebben. *Directe* ingrepen in de privé-sfeer worden alleen in extreme gevallen geaccepteerd, bijvoorbeeld wanneer er geweld of misbruik heerst in een gezin. De heersende gevoeligheid rond het privé-leven heeft consequenties voor een gezinsbeleid van de overheid, dat altijd aan restricties gebonden zal zijn. We proberen enkele van die restricties hier onder woorden te brengen. De eerste restrictie hebben we in feite reeds genoemd: de overheid mag zich in bevorderende en faciliterende zin met het gezin *in het algemeen* bezighouden maar zij mag zich niet begeven op het terrein van het *individuele* gezin, tenzij in extreme en wettelijk omschreven gevallen. De tweede restrictie is moeilijker onder woorden te brengen, omdat zij in feite betrekking heeft op een moeilijk maatschappelijk dilemma. Dat dilemma bestaat eruit dat moderne burgers enerzijds een sterke ervaring hebben van een eigen unieke *individualiteit* maar zich anderzijds maar al te goed realiseren dat ze in de werkelijkheid van alledag onderdeel zijn van allerlei verbanden en in laatste instantie van de samenleving als geheel. Enerzijds willen zij zichzelf zijn en niet als een onderdeel van een groter geheel worden benaderd, of dat nu de maatschappij, een organisatie of zelfs hun eigen gezin is, anderzijds voelen zij zich pas thuis en geborgen in de schoot van grotere gehelen, te beginnen bij hun gezin en vervolgens hun familie, hun vriendenkring, hun werk enz. De overheid kan niets anders doen dan deze dubbelheid als een feit accepteren en haar gezinsbeleid daaraan aan te passen. Natuurlijk, het toebehoren van burgers tot een gezin is een relevant feit voor de overheid wanneer zij beleidsmaatregelen ten behoeve van het gezin overweegt. Het toebehoren van individuele burgers tot een gezin mag er niet toe leiden dat de ene burger binnen een gezin beschouwd en behandeld wordt als een verlengstuk van de ander: vrouwen niet van mannen, mannen niet van vrouwen, kinderen niet van ouders, of omgekeerd. Een positief gezinsbeleid mag niet leiden tot een situatie waarin iemands sociale rol bepaald wordt door zijn of haar behoren (of niet-behoren) tot een gezin.

Een derde restrictie houdt in dat uit het feit dat het gezin een maatschappelijk belang vertegenwoordigt niet mag worden afgeleid dat andere leefvormen per se minderwaardig zouden zijn, bijvoorbeeld omdat ze minder geschikt zouden zijn om kinderen op te voeden. Dat is niet alleen een principieel standpunt maar ook een praktisch standpunt: onderzoek heeft al vaak bevestigd dat de structuren waarin kinderen opgroeien (twee-oudergezin, eenoudergezin, stiefoudergezin, hetero- of homostel) voor het uiteindelijke opvoedingsresultaat minder belangrijk zijn dan de culturele en sociaal-economische context van die structuren. Daarom moet de overheid in haar beleid terughoudend zijn. Zij moet respecteren dat burgers vrij kunnen kiezen in welke structuur zij graag willen leven. De overheid moet zich tevens realiseren dat zij zich over die structuren geen gefundeerd oordeel kan aanmatigen maar wel over de omstandigheden waarin die structuren moeten functioneren. De keuzevrijheid van de burger en de pluriformiteit van leefeenheden moeten het overheidsbeleid méébepalen.

2.4 Het doel en het criterium van gezinsbeleid

Nu is vastgesteld dat gezinsbeleid een legitieme taak van de overheid is, dringt zich de vraag op waar dat gezinsbeleid op gericht moet zijn. Het antwoord lijkt voor de hand te liggen: het welzijn van het gezin. Maar zo vanzelfsprekend is dat niet, want er is ook gezinsbeleid denkbaar dat het welzijn van het gezin ondergeschikt maakt aan een of ander staatsbelang, zoals de toekomstige economische ontwikkeling, de inkomsten van de fiscus, militaire belangen. Wij kiezen echter voor het welzijn van het individuele gezin als doelstelling van beleid en als criterium om achteraf elke vorm van gezinsbeleid te beoordelen. Achter deze keuze gaat de opvatting schuil dat het gezin niet als een instrument mag worden gebruikt voor doeleinden die niet het welzijn van het gezin zelf ten goede komen – een uitbreiding van de morele regel dat de individuele mens niet als instrument mag worden gebruikt voor doeleinden die niet het welzijn van dat individu betreffen. Die uitbreiding lijkt verdedigbaar: het gezin is toch immers een kleine verzameling individuen. Tegelijkertijd zijn wij er echter van overtuigd dat het welzijn van het individuele gezin per saldo ook het algemene belang dient (en dat, andersom, beleid dat alleen een of ander collectief belang voor ogen heeft het gezin gemakkelijk kan schaden). Met andere woorden: het welzijn van de Nederlandse samenleving is gediend met het welzijn van het individuele gezin. Dat is méér dan een geloofsartikel. Het huidige debat over het gezin, en ook veel voorafgaande publieke discussies over het gezin, gaan in feite over de opvoedkundige prestaties van gezinnen. Juist die opvoedkundige prestaties kunnen alleen worden verbeterd door het welzijn van het individuele gezin te verbeteren.

Maar waaruit bestaat het 'welzijn van het gezin'? Soms lijkt het in de discussie alsof het gezin alleen maar een plaats is waar kinderen opgroeien. Dat is natuurlijk niet zo: het gezin is ook de plaats waar volwassenen, ouders, een groot deel van hun leven doorbrengen. Daarom kan men aan elke vorm van gezinsbeleid van de overheid twee doelstellingen verbinden: namelijk het bevorderen van het welzijn van de kinderen en het bevorderen van het welzijn van de ouders. Die twee doelstellingen zijn niet van elkaar te scheiden: kinderen zijn gediend met ouders die zich wélbevinden en die het ouderschap niet ervaren als een ondraaglijke zorgenlast; ouders zijn gebaat bij omstandigheden die het welzijn van hun kinderen gunstig beïnvloeden. Maar de belangen van ouders en kinderen zijn niet geheel tot elkaar te herleiden. Het belang van ouders en het belang van kinderen kunnen met elkaar in botsing komen. Alle ouders ervaren dat in de dagelijkse praktijk wanneer ze omwille van hun kinderen iets van hun vrijheid of van hun welvaart moeten inleveren. In de meeste situaties zullen ze prioriteit geven aan het belang van hun kind(eren), maar in andere situaties zullen ze een compromis sluiten of hun eigen belang vooropstellen.

Ook de overheid zal in haar beleid jegens het gezin vaak ouders en kinderen gezamenlijk kunnen dienen maar soms geconfronteerd worden met belangentegenstellingen tussen ouders en kinderen. Op dit punt is een principiële stellingname nodig. *Omdat kinderen binnen en buiten het gezin de zwakste partij zijn én omdat de opvoeding van kinderen in gezinsverband een groot maatschappelijk belang is, menen wij dat in het geval van tegengestelde belangen tussen ouders en kinderen prioriteit moet worden gegeven aan het belang van de kinderen.* Kort door de bocht geformuleerd: de ouders redden zichzelf wel, maar het kind heeft steun nodig van de gemeenschap, c.q. de overheid. Deze stellingname impliceert ook dat het welzijn van het kind het belangrijkste criterium moet zijn voor goed gezinsbeleid. Toch verdient ook de positie van de ouders aandacht in het gezinsbeleid. Het zal echter nooit mogelijk zijn om alle 'nadelen' van het ouderschap te compenseren. Mensen nemen kinderen omdat zij daar een persoonlijke behoefte toe voelen. Zij vinden het hebben van kinderen zó belangrijk dat zij daarvoor allerlei nadelen op de koop toe nemen – vermoeidheid, zorgen, tijdgebrek, minder persoonlijke vrijheid, financiële lasten, minder carrièrekansen. Al bijna een halve eeuw wordt algemeen geaccepteerd dat de overheid ouders enigszins tegemoet komt om deze nadelen te compenseren, namelijk in de vorm van de kinderbijslag en van bepaalde fiscale tegemoetkomingen. Maar het is evenzeer geaccepteerd dat sommige nadelen blijvend zijn. De meeste ouders maken zich daar ook niet druk om. Ze hebben vrijwillig gekozen voor kinderen en het hebben van kinderen draagt bij aan hun levensgeluk en aan hun levensvoldoening.

3 Van arbeidsparticipatie naar gezinsbelang

3.1 De maatschappelijke praktijk

In de Nederlandse maatschappelijke praktijk werken de meeste mannen met kinderen voltijds en de meeste (en steeds meer) vrouwen met kinderen in deeltijd. De 'anderhalfverdieners'-gezinnen zijn in de meerderheid. Aan die praktijk liggen financiële overwegingen ten grondslag: een half inkomen extra betekent het verschil tussen 'kunnen rondkomen' en financiële zorgeloosheid. Maar waarom werken mannen meestal voltijds en vrouwen meestal in deeltijd? Daar zijn vooral culturele beweegredenen in het spel. Het kostwinnersethos werkt nog steeds door. Voor veel mannen is werken niet alleen een functionele of instrumentele bezigheid, nodig om inkomen te verwerven, maar ook een manier om hun persoonlijke identiteit te vormen en te bevestigen. De bedrijfscultuur is daaraan congruent. Een zekere vereenzelviging met het werk en met het bedrijf of de instelling wordt verondersteld. Deeltijdwerk is daarmee in het huidige werkklimaat moeilijk te verenigen: wie hart voor zijn werk heeft, wordt verondersteld zich voltijds in te zetten. Wie in deeltijd werkt, begrenst zijn inzet en distantieert zich daardoor van zijn werk. Dat iemand daardoor zijn carrièremogelijkheden binnen een bedrijf of instelling in de waagschaal stelt, is wellicht nog niet het belangrijkste effect want de meeste werknemers zijn, in tegenstelling tot de populaire mythe, niet dagelijks bezig met een ambitieuze carrièreplanning. Maar deeltijdwerkers hebben op het werk minder toegang tot informatie en daardoor minder invloed. Ze moeten meer delegeren, overleggen, overlaten aan anderen. Ze moeten vaker 'nee' zeggen op verzoeken. Ze hebben minder status. In deeltijd werkende vrouwen leggen zich daar vaak bij neer, maar mannen vinden dat niet gemakkelijk – te meer daar die zwakkere positie op het werk ook nog eens gepaard gaat met een gevoelige financiële achteruitgang. In enquête-onderzoeken verklaren veel vaders dat zij eigenlijk wel wat minder zouden willen werken om meer aandacht te kunnen geven aan hun kinderen. Aangezien ze in de praktijk zelden stappen ondernemen om die wens in de praktijk om te zetten, wordt hun vaak hypocrisie verweten: vrouwvriendelijke praatjes verkopen maar geen consequenties trekken. Hoewel dat verwijt niet altijd onterecht wordt gemaakt, blijkt uit onderzoeken dat veel mannen zich om praktische en emotionele redenen niet vrij voelen om minder dagen per week te gaan werken. Dat is geen kwestie van hypocrisie maar van omstandigheden en, naar onze inschatting, vooral van culturele omstandigheden. Het resultaat is een samenleving waarin gezinnen van anderhalfverdieners steeds meer de norm worden. Maar vertegenwoordigen die gezinnen een optimale situatie? Er zijn enkele duidelijke nadelen te noemen. In de eerste plaats de hoge organisatorische druk op het gezin, die hierboven al genoemd werd. Uiteraard komen mannen die voltijds werken weinig toe aan zorgtaken; mannen die toch een substantieel aandeel willen hebben in de opvoeding van hun kinderen zijn aangewezen op de armoedeoplossing van *quality time* in de weekends. Ze hebben eigenlijk tijd te kort. De zwaarste last komt zoals gewoonlijk op de schouders van de vrouw, die arbeid en zorg moet combineren zonder voldoende steun van de man. Sociologisch onderzoek lijkt er weliswaar op te duiden dat moeders zelden *tegen hun zin* buitenshuis werken, zelfs indien het vooruitzicht van extra inkomen een dringender motief is dan 'zelfontplooiing' of iets dergelijks. Per saldo zijn de meesten tevreden over de combinatie van werk en zorg. Maar de positieve gevoelens over prestatie, zelfstandig inkomen, gelijkwaardigheid met de eigen partner, gaan toch ook gepaard met negatieve gevoelens waarvan vooral 'het komt nooit af' en gejaagdheid eruit springen. Een deel van de werkende moeders ervaart schuldgevoelens tegenover de kinderen omdat er te weinig tijd en aandacht voor hen over lijkt te schieten.[28] Vrou-

28 Hanneke Groenendijk, *Werken en zorgen: de moeite waard. Een onderzoek naar het welbevinden van buitenshuis werkende moeders,* Utrecht: Van Arkel, 1998. Dissertatie Erasmus Universiteit Rotterdam.

wen staan aan voortdurende druk bloot om hun baan geheel en al op te zeggen om zich aan de zorgtaken te kunnen wijden, terwijl zij anderzijds door de financiële situatie van hun gezin en door de regels van de overheid (denk aan de eisen die met sociale-zekerheidsuitkeringen zijn verbonden) onder druk gezet worden om juist aan het werk te blijven. Dit alles wil niet zeggen dat mannen geen problemen met hun werk kunnen ervaren maar hun situatie is duidelijker en minder getekend door twijfels en ambivalenties. De overheid beschouwt het 'anderhalfverdienersgezin' dan ook niet als ideaal. Met recht: anderhalfverdienersgezinnen hebben het veel te druk. Juist uit hun midden komen de klachten.

3.2 Werk, werk, werk

Bestaat er al een Nederlands gezinsbeleid? Met een verwijzing naar de veelvormige overheidsinvloed op het gezin stelt H. Schulze dat 'ieder politiek systeem [...] onafhankelijk van zijn programma begrepen [kan] worden als een systeem met een gezinsbeleid'.[29] Die constatering rekt het begrip 'beleid' wel erg op. Beleid is niet hetzelfde als beïnvloeding. Beleid is evenmin de optelsom van onsamenhangende maatregelen of het resultaat van maatregelen die eigenlijk iets anders bedoelden. Beleid is een geheel van min of meer gecoördineerde, samenhangende, bewuste en gerichte maatregelen. Het is de vraag of er in die zin wel zoiets als een gezinsbeleid van de Nederlandse overheid bestaat. Onder de 'paarse' regeringscoalitie werden met enige regelmaat maatregelen uitgevaardigd en wetten aangenomen die vrijwel direct een bepaalde uitwerking hadden op het gezin. Van de meeste daarvan gaat een bepaalde invloed uit op het gezin, maar daarom zijn zij nog geen producten van *gezinsbeleid*.[30]

29 Schulze, 'Opvoeding tot gezinsbeleid', p. 69.
30 Bijvoorbeeld mw. dr. T. Knijn, die in *De Volkskrant* van 28 juni 1996 klaagt over het gebrek aan gezinsbeleid: "De maatregelen in ons land die een eerlijke taakverdeling in het gezin mogelijk zouden moeten maken, zijn vol-

Zowel uit het gevoerde regeringsbeleid van de laatste jaren als uit de programma's van de partijen die dat beleid hebben gedragen, blijkt overduidelijk dat de focus nooit op het gezin heeft gelegen maar op arbeidsparticipatie, en dan met name op de arbeidsparticipatie van *vrouwen*. Deze keuze is redelijk succesvol gebleken, zeker ook omdat de overheid een algemene trend versterkte: sinds 1970 zijn steeds meer Nederlandse vrouwen betaald werk gaan verrichten als gevolg van een hoger opleidingsniveau, een keuze voor kleinere kindertallen en veranderde opvattingen over de rollen van man en vrouw. Mede dankzij de inspanningen van de overheid is de arbeidsparticipatie van vrouwen in Nederland de laatste jaren opgeschoven in de richting van het Europese gemiddelde en zijn de belemmeringen voor vrouwen om te gaan werken voor een deel weggenomen.[31] Voor deze beleidskeuze bestaan bovendien goede en eerbare argumenten. In de eerste plaats het argument dat de overheid de werkloosheid moet bestrijden (ook al is die op dit moment niet dramatisch groot). Onvrijwillige werkloosheid wordt als een groot maatschappelijk kwaad beschouwd, en terecht. Werkloosheidsbestrijding is in de twintigste eeuw een traditionele overheidstaak geworden. De hoge, zelfs dramatische werkloosheidscijfers in de jaren tachtig van de twintigste eeuw hebben de aandacht van de overheid voor deze taak nog vergroot. Niet voor niets ging het eerste paarse kabinet aan de slag onder de leuze 'werk, werk, werk'. Er leek niets belangrijkers te bestaan. In de tweede plaats moet het emancipatoire argument worden genoemd: een vergroting van de arbeidsparticipatie van vrouwen is goed voor de zelfstandigheid en de maatschappelijke inbreng van vrouwen. Door

---

strekt ontoereikend [...] Het wordt hoog tijd voor eenduidige afspraken over ouderschapsverlof, deeltijdwerken en kinderopvang."
31 CPB, *Arbeidsparticipatie van vrouwen*, Den Haag 2001. Ruwweg hebben tegenwoordig zeven van elke tien vrouwen van 25-39 jaar een betaalde baan tegen twee op de tien veertig jaar geleden. Zie: J. Latten, 'Panta rhei', in: J. Garssen e.a. (red.), *Samenleven. Nieuwe feiten over relaties en gezinnen* (Voorburg: CBS, 2001), p. 211-220, met name p. 213.

de arbeidsparticipatie van vrouwen te stimuleren steunt en versnelt de overheid een emancipatiebeweging die al sinds enkele decennia aan de gang is maar die, juist in Nederland, jarenlang snelheid miste. In de derde plaats weegt wat men zou kunnen noemen: het *toekomstige* economische argument, zwaar. Er is de afgelopen jaren sprake geweest van een tekort aan arbeidskrachten in Nederland. Dat tekort zal ongetwijfeld voor een deel conjunctureel van aard geweest zijn. Nu sinds 2002 de economie minder goed draait, zal de vraag naar arbeid weer afnemen. Toch is de verwachting dat er als gevolg van de vergrijzing van de Nederlandse samenleving een tekort aan arbeidskrachten zal blijven bestaan – een tekort dat nu al tot uiting komt in de zorgsector en in het onderwijs. De gevolgen van de vergrijzing zullen zich de komende jaren bovendien doen gevoelen in de vorm van hogere kosten voor gezondheidszorg en voor pensioenen en in de vorm van (relatief) dalende premie- en belastinginkomsten. Als de overheid erin slaagt om nú een groeiend percentage vrouwen in het arbeidsproces te binden, dan zal de economie daar op korte termijn van profiteren maar zullen ook toekomstige problemen aanzienlijk worden verzacht.[32]

Toch kan men wel bedenkingen hebben bij het 'werk, werk, werk'-beleid van de overheid. In de eerste plaats omdat de Nederlandse overheid – gedreven door economische én emancipatoire motieven – vrouwen niet alleen uitgenodigd maar ook toenemend onder druk heeft gezet om de arbeidsmarkt te betreden. Dat is met name tot uiting gekomen in de sfeer van de sociale zekerheid waar de regels en voorwaarden steeds strakker zijn geworden en waar zelfs voor de kleinste onachtzaamheid strafmaatregelen in werking treden.[33] Vooral alleenstaande moeders

32 A.L. Bovenberg en J.J. Graafland, 'Externe effecten van betaalde en onbetaalde arbeid', in: *Christen Democratische Verkenningen,* (2001), nr. 10, p. 11-18.
33 Vergelijk de introductie van de Wet Boeten, Maatregelen en Terug- en Invordering Sociale Zekerheid, kortweg de *Wet Boeten* genoemd.

met kleine kinderen zijn hierdoor in dwangposities gebracht: als het aan de overheid ligt behoren bijstandsmoeders binnen enkele jaren tot het verleden. Dat doel zal natuurlijk niet helemaal gehaald worden maar het streven is er zeker. Het is duidelijk dat het 'moeten' steeds meer terrein wint.[34] En hoe vlug dat allemaal is gegaan! De overheid verbood pas in 1976 om vrouwen vanwege huwelijk of zwangerschap te ontslaan. Daarmee kwam een einde aan de praktijk dat vrouwen in individuele arbeidscontracten verklaarden ontslag te zullen nemen ingeval van huwelijk of zwangerschap. Diezelfde overheid voerde al in 1990 het principe in dat alle vrouwen van de jongere generatie financieel op eigen benen moesten staan – met alle consequenties voor hun sociale rechten van dien. Van 'niet mogen' tot 'moeten' in veertien jaar!

De beperktheid van de nadruk op arbeidsparticipatie blijkt ook uit een rapport als *Verkenning Levensloop,* dat in 2002 door het Ministerie van Sociale Zaken en Werkgelegenheid werd uitgebracht. Dit rapport gaat van start met de bewering dat de burgers tegenwoordig zo vreselijk vrij zijn (en willen zijn) om hun levensloop zelf te bepalen: werken, leren, zorgen, wonen. Maar wordt hier niet een ideologische fictie omgebogen in een sociaal feit? Bestaat die vrijheid werkelijk? Wie precies kijkt, ziet weliswaar een zekere 'destandaardisering' van de levensloop – waarvan men zich kan afvragen in hoeverre het een optische illusie betreft – maar zeker geen bewuste planning van de kant van de burgers. Zij voelen zich helemaal niet vrij om hun leven naar eigen smaak en opvattingen in te richten. Verreweg de meesten 'rollen' door het leven zoals altijd en worden méér door omstandigheden gestuurd dan zijzelf, en anderen, willen toegeven. Dat blijkt

---

34 Dat 'moeten' wordt steeds verder uitgebreid. Er wordt weerstand geboden, niet in de laatste plaats door de plaatselijke sociale diensten die individuele vrouwen op grond van hun persoonlijke omstandigheden van sollicitatieplicht kunnen ontheffen, maar als het aan de landelijke overheid ligt zal die ruimte verdwijnen.

ook wel uit het rapport zelf, dat zegt beleidsopties te willen aanreiken om de keuzevrijheid van mensen te *vergroten*, combinaties van activiteiten in de verschillende levensfasen te ondersteunen en transities (van de ene situatie naar de andere) mogelijk te maken. Wie het rapport leest, treft daar echter allesbehalve een aanzet tot ruimer leven aan. De lezer kan niet anders dan concluderen dat in de visie van de overheid *werken* de belangrijkste activiteit van mensen is. Het rapport gaat helemaal niet over keuzevrijheid maar over het vergroten van de mogelijkheden om veel en lang te werken, zonder daarin gehinderd te worden door problemen rond zorg, vrije tijd, gezondheid, wonen. Eén voorbeeld: "Door dit stapelen van taken is voor veel burgers een grote tijdsdruk ontstaan, die niet zelden tot voortijdige uitval uit het arbeidsproces leidt. Collectieve voorzieningen [...] dreigen daarmee op termijn [...] in gevaar te komen."[35] Heeft overmatige tijdsdruk geen andere gevolgen voor mensen dan gebrekkig functioneren op de arbeidsmarkt? Natuurlijk bevat het rapport ook suggesties waarmee individuele burgers hun voordeel kunnen doen maar de algemene insteek is geen keuzevrijheid, maar alleen: hoe krijgen we zoveel mogelijk mensen aan het werk? Het bezwaar van een eenzijdige benadering van het leven is evident – een eenzijdigheid die ook het gezin en met name het kind kan treffen.

Er zijn nog meer bedenkingen te opperen bij de eenzijdige nadruk op arbeidsparticipatie.

Naarmate steeds meer gezinnen twéé kostwinners tellen en dus een inkomen hebben dat anderhalf of tweemaal zo groot is als wat men op dit moment een 'normaal salaris' zou noemen, zullen zich overal in de samenleving prijsopdrijvende effecten voordoen omdat huishoudens met meer dan één inkomen meer geld kunnen bieden en 'eenverdieners' uit de markt kunnen dringen. Dat effect is al heel duidelijk te zien op de huizenmarkt, waar

35 *Verkenning Levensloop. Beleidsopties voor leren, werken, zorgen en wonen*, Den Haag: Ministerie van Sociale Zaken en Werkgelegenheid, 2002.

de schrikbarende prijsstijgingen van het afgelopen decennium voor een niet gering deel veroorzaakt werden doordat anderhalf- en tweeverdieners zich hoge hypotheken konden veroorloven. Het eerste probleem is dat het voor startende gezinnen met één inkomen (maar ook voor jonge gezinnen met twee lagere inkomens) vrijwel onmogelijk is geworden een huis te kopen. Een opvallend stukje maatschappelijke armoede in een decennium van economische voorspoed waartegen de overheid vooralsnog niets heeft ondernomen. Het tweede probleem is dat de anderhalf- en tweeverdieners zich massaal in situaties begeven hebben waarin zij meer dan één inkomen *moeten* verdienen om aan hun financiële verplichtingen te kunnen voldoen. Dat veroorzaakt geen moeilijkheden zolang de partners jong, gezond en kinderloos zijn, maar zodra er kinderen komen met alle organisatorische lasten van dien of wanneer de gezondheid van een van beiden nalaat, dan hebben dergelijke gezinnen een groot probleem. Deze ontwikkeling kan zich op den duur ook op het brede maatschappelijke niveau voordoen. Als anderhalfverdienen of tweeverdienen de norm wordt, zullen eenverdieners het financieel heel moeilijk krijgen en zal de vrijheid van de meeste gezinnen om op eigen wijze arbeid en zorg te verdelen tot een minimum worden beperkt. Men kijke bijvoorbeeld naar Zweden waar tweeverdienende ouders regel zijn. Kinderopvang is er ruimschoots voorhanden, bovendien gratis en van een naar Nederlandse begrippen voortreffelijke kwaliteit. Maar de Zweedse ouders hebben niets te kiezen. Ze *moeten* wel getweeën een inkomen verdienen en ze *moeten* wel gebruik maken van kinderopvang, eenvoudig omdat het leven er zo duur is. Thuis blijven om voor de kinderen te zorgen, is er een luxe geworden. Dat willen de meeste burgers in Nederland zeker niet. Maar de overheid heeft er vooralsnog geen blijk van gegeven dat zij hier een probleem ziet. Kortom: er is wel beleid, maar er is geen gezinsbeleid.

Het kabinet-Balkenende heeft blijk gegeven van een andere visie, maar of hier sprake is van een echte koerswijziging die ook door volgende kabinetten zal worden gevolgd, moet worden afgewacht.[36]

3.3 Zorgen om de verdeling van zorg en arbeid

Het arbeidsparticipatiebeleid van de overheid kreeg in de jaren negentig gezelschap van aandacht voor de verdeling van zorg en aandacht voor de combinatie van zorg en arbeid. Men zou kunnen zeggen: de algemene maatschappelijke trend en het succesvolle arbeidsparticipatiebeleid van de opeenvolgende kabinetten hebben deze aandacht als vanzelf opgeroepen. Voor zover de overheid zich bekommert om deeltijdarbeid en om de combinatie van zorg en arbeid lijkt dat vooral ten doel te hebben vrouwen met kinderen (weer) tot werken te bewegen. In de praktijk zet de overheid alles op de kaart van de bevordering van de arbeidsparticipatie en probeert zij door verlofregelingen en uitbreiding van de kinderopvang de ontstane wrijvingen op te vangen. Maar laten we fair zijn. Er is ook veel wél tot stand gebracht, zij het met wisselend succes in de maatschappelijke realiteit. We noemen de *Wet Gelijke Behandeling* (1994), die onderscheid op grond van geslacht, nationaliteit, leeftijd, enz. verbiedt, de *Wet inzake het verbod tot het maken van onderscheid tussen werknemers naar arbeidsduur* (1996), die deeltijdwerkers naar rato dezelfde rechten geeft als voltijds werkenden, de *Arbeidstijdenwet* (1996), die een limiet stelt aan de (over)werkuren die een werkgever zijn werknemers mag laten maken, de *Wet Financiering Loopbaanonderbreking* (1997), die een werknemer die verlof neemt onder bepaalde voorwaarden een financiële tegemoetkoming in het voor-

---

36 Vergelijk de *Beleidsbrief Emancipatie en Familiezaken 2003,* november 2002, p. 4, waarin als 'doel van familiezaken' wordt geformuleerd: "Het vergroten van de échte keuzevrijheid van vrouwen en mannen om alle aspecten van hun leven (zoals zorg, werken en leren) zelf vorm te geven en op elkaar af te stemmen in de diverse fasen van hun leven, opdat zij zoveel mogelijk de verantwoordelijkheid kunnen nemen voor de kwaliteit van hun leven." Het accent op 'echte' doet vermoeden dat hier een échte koerswijziging wordt beoogd.

uitzicht stelt,[37] de *Wet Aanpassing Arbeidsduur* (2000), die werknemers die in deeltijd in plaats van voltijds willen werken (of andersom!) een sterkere onderhandelingspositie geeft, en ten slotte de *Wet Arbeid en Zorg* (2001), die verschillende verlofregelingen samenvat en coördineert.

De verlofregelingen rond zwangerschap, ouderschap en zorg zijn de laatste jaren aangevuld met een bescheiden regeling voor 'calamiteitenverlof', die in de Wet Arbeid en Zorg is opgenomen. Die regeling voorziet in enkele dagen betaald verlof per jaar om huiselijke 'calamiteiten' te kunnen opvangen. Verder zijn de mogelijkheden om reguliere verlofdagen de sparen enigszins vergroot (hoewel de mogelijkheden juist voor jongere werknemers beperkt zijn). De meeste regelingen voorzien *niet* in betaald zorgverlof. Weinig geldende CAO's voorzien daarin en wat de wetgeving betreft biedt alleen de Wet Financiering Loopbaanonderbreking enig soelaas. Op de praktische bruikbaarheid van laatstgenoemde wet wordt echter afgedongen door de voorwaarden. De Wet Arbeid en Zorg probeert enige lijn aan te brengen in de ontstane regelingen, terwijl het CDA-plan voor een levensloopverzekering (waarover hieronder meer) een poging vertegenwoordigt om de verlofrechten met financiering te onderbouwen. Ook moet de uitbreiding van de capaciteit van de kinderopvang worden genoemd. Daar heeft de overheid zich wel voor ingespannen. Zij heeft er ook geld voor uitgetrokken en de resultaten zijn aanzienlijk. Maar de overheid stuit onder meer op onwil of desinteresse van het bedrijfsleven. Slechts 24% van de bedrijven in Nederland biedt het personeel een regeling voor kinderopvang. Vooral kleine bedrijven laten het erbij zitten, met als gevolg dat bijna de helft van de werknemers in Nederland niet beschikt over kinderopvang. Het ministerie dreigt dwingender te gaan optreden.[38]

---

37 Namelijk indien de werkgever ter vervanging een werkzoekende aanstelt en indien het verlof 'palliatief' van aard is: zorg voor een ernstig ziek familielid. De wet geeft geen *recht* op verlof.
38 Bron: Ministerie van SZW, 27 juni 2002.

4 Het combinatiescenario

4.1 Vier scenario's

In 1995 voltooide de *Commissie Toekomstscenario's Herverdeling Onbetaalde Arbeid* een rapport waarin zij vier scenario's voor de toekomstige verdeling van zorgtaken onderscheidde en van een oordeel voorzag.[39] Daarbij werd onder 'zorgtaken' verstaan: huishoudelijke taken, de opvoeding en verzorging van kinderen, zorg voor afhankelijke ouderen, zieken en gehandicapten. De commissie onderscheidde achtereenvolgens het 'bestendigingsscenario', het 'verdelingsscenario', het 'combinatiescenario' en het 'uitbestedingsscenario'. Het bestendigingsscenario voorziet dat de overheid geen bijzonder beleid voert inzake de verdeling van zorg en arbeid. Het resultaat zal zijn dat het grootste deel van de zorgarbeid in 2010 nog steeds onbetaald en door vrouwen zal worden verricht. Wellicht zal de trend naar een gelijke verdeling van onbetaalde en betaalde arbeid tussen mannen en vrouwen zich voortzetten maar dan hoogstens in hetzelfde tergend langzame tempo als in de afgelopen jaren. Alleenverdieners blijven talrijk. Aan het bestendigingsscenario ligt de gedachte ten grondslag dat de verdeling van zorg en arbeid uitsluitend een zaak van de burgers zelf is, waarin de overheid geen taak heeft en geen voorkeur aan de dag mag leggen.

In het verdelingsscenario is het heel anders gesteld. Volgens dit scenario is in 2010 de onbetaalde (zorg)arbeid gelijkelijk tussen mannen en vrouwen verdeeld. Zij nemen de zorg voor huishouden en kinderen op hun eigen schouders: slechts weinig zorgarbeid wordt tegen betaling uitbesteed. Alleenverdieners behoren vrijwel tot het verleden. Dit scenario vergt dat mannen in groten getale afscheid nemen van voltijds werk (althans voor de periode waarin zij kleine kinderen hebben) en dat vrouwen véél

---

39 *Toekomstscenario's onbetaalde arbeid,* Den Haag: SER, 1996.

meer gaan werken (en daartoe op grote schaal worden omgeschoold voor mannenberoepen). De gemiddelde werkweek van mannen en vrouwen met kinderen wordt respectievelijk teruggebracht en opgevoerd naar 23 à 28 uur. Een flinke krachtsinspanning van de overheid, die deeltijdarbeid aantrekkelijk moet maken, en een rigoureuze flexibilisering van de arbeidsmarkt zijn voorwaarden.

Het derde scenario, het combinatiescenario, voorziet in een evenwichtige balans tussen onbetaalde en betaalde zorgarbeid, dat wil zeggen dat mannen en vrouwen een deel van hun zorgtaken uitbesteden aan bedrijven of organisaties en een deel zelf verrichten. Het scenario voorziet erin dat mannen en vrouwen met kinderen gemiddeld flinke deeltijdbanen hebben (29 à 32 uur per week) die hun voldoende inkomen verschaffen maar ook voldoende tijd laten om hún deel van de zorgarbeid te verrichten. Ook dit scenario vergt een zekere krachtsinspanning van de overheid, niet alleen om voldoende voorzieningen mogelijk te maken waaraan zorgarbeid kan worden uitbesteed maar ook om deeltijdarbeid aantrekkelijk(er) te maken. Flexibilisering van de arbeidsmarkt is eveneens een vereiste. Maar deze vereisten zijn minder radicaal dan in het verdelingsscenario.

Ten slotte beschrijft de commissie het uitbestedingsscenario, dat als uitgangspunt heeft dat op den duur zoveel mogelijk zorgtaken, inclusief de zorg voor kinderen, betaald verricht worden. Wat er nog aan onbetaalde zorgtaken overblijft, wordt door mannen en vrouwen gelijkelijk verricht. Van de overheid wordt een beleid verwacht dat de uitbreiding van betaalde zorg bevordert en uitbesteding van zorgtaken stimuleert. Mannen en vrouwen met kinderen hebben in dit scenario bijna volledige werkweken van gemiddeld 33 à 36 uur.

De commissie besluit haar advies met een lijst waarin per scenario beleidsmaatregelen worden gesuggereerd. In haar volledige rapport wordt ook een kosten-batenanalyse gepresenteerd van deze maatregelen, maar de commissie bekent geen doorberekende zekerheid te kunnen verschaffen over het effect van de voorgestelde maatregelen op de onbetaalde zorgarbeid.[40] Zij beperkt zich derhalve tot een 'kwalitatieve inschatting' waarvan het resultaat luidt dat het combinatiescenario het meest haalbare en het meest wenselijke toekomstscenario is.[41] Volgens dat scenario wordt een deel van de zorgarbeid uitbesteed aan het betaalde circuit en worden de overige taken gelijkelijk verdeeld tussen mannen en vrouwen. De commissie heeft enkele argumenten voor haar keuze. Het scenario sluit het nauwst aan bij hetgeen mannen en vrouwen als een goed evenwicht tussen werken en zorgen beschouwen – dat acht de commissie een belangrijke voorwaarde voor het slagen van het beleid. Het scenario representeert een wezenlijke verschuiving maar geen radicale verschuiving. Mannen gaan enigszins terug in werktijd maar blijven een flinke werkweek vervullen terwijl vrouwen wel méér maar niet radicaal meer gaan werken dan heden ten dage. De commissie vindt het met name een voordeel dat het scenario 'aan de veranderingsgezindheid van mannen geen al te sterke eisen [stelt]'.[42] Op de keper beschouwd ligt het 'combinatiescenario' niet ver af van het anderhalfverdienersstelsel dat zich de laatste decennia in Nederland heeft uitgekristalliseerd: het is in feite een soort *correctie* daarop. Het verschilt op één punt: ook mannen moeten in groteren getale in deeltijd gaan werken. Omgekeerd meent de commissie dat juist de radicaliteit van het verdelings- en het uitbestedingsscenario een nadeel is. Het verdelingsscenario vergt te veel verandering van mannen (die véél minder moeten gaan werken en de handen uit de mouwen moeten steken in huishouden en kinderverzorging) en het uitbestedingsscenario vergt te veel verandering van vrouwen (die véél meer moeten gaan werken en de meeste zorgtaken, ook de verzorging van de kinderen, uit han-

---

40 Commissie Toekomstscenario's Herverdeling Onbetaalde Arbeid, *Onbetaalde zorg gelijk verdeeld. Toekomstscenario's voor herverdeling van onbetaalde zorgarbeid* (Den Haag: Ministerie van Sociale Zaken en Werkgelegenheid, Den Haag: VUGA, 1995), p. 183-193.
41 *Toekomstscenario's onbetaalde arbeid,* p. 15-16.
42 Ibidem, p. 16.

den moeten geven). De lasten en nadelen van dit scenario zullen ten laste komen van de werkgevers. Alleenstaande ouders zullen het moeilijk krijgen want van een radicale uitbreiding van de (betaalde) zorgvoorzieningen, met name de kinderopvang, is geen sprake. Het laatste scenario, dat bijvoorbeeld in Scandinavische landen voor een deel gerealiseerd is, zou tegen de Nederlandse cultuur indruisen. Dat klinkt tamelijk vaag maar er zullen niet veel mensen zijn die dit oordeel niet zullen onderschrijven.[43] De overheid, in casu het eerste 'paarse' kabinet-Kok, heeft het combinatiescenario overgenomen. Met andere woorden: de overheid geeft er de voorkeur aan dat, indien er kinderen zijn, zowel de man als de vrouw in deeltijd werken, een deel van de zorgtaken (vooral de verzorging van de kinderen) uitbesteden en het overblijvende deel gelijkelijk verdelen. Op deze wijze wordt voldoende tijd besteed aan de opvoeding van de kinderen zonder dat deze taak volledig op de schouders van de vrouw rust. De arbeidsparticipatie van de Nederlandse vrouwen kan verder toenemen en de mannen raken, hopelijk, méér betrokken bij huishouden en opvoeding dan nu het geval is. Wij zijn van mening dat de overheid met goede redenen ervoor gekozen heeft het 'combinatiegezin' als beleidsideaal te hanteren – zij maakt die keuze ook tot de hare omdat zij de scepsis van de commissie over de andere scenario's deelt maar vooral omdat zij van mening is dat het scenario het kind ten goede zal komen door overmatige druk van de ouders weg te nemen. Maar de studiegroep realiseert zich ook dat '2010' een onhaalbare streefdatum is, hetgeen door de meest recente *Emancipatiemonitor* bevestigd lijkt te worden.[44] De voordelen van het model waarin beide ouders in deeltijd wer-

---

43 Vergelijk het oordeel van K. Breedveld in: *Van arbeids- naar combinatie-ethos. Maatschappelijke ontwikkelingen op het snijvlak van economie en cultuur. SCP bijdrage aan de bijeenkomst 'Effecten van cultuur', 23 november 2000, Artis Amsterdam, van de Stuurgroep Dagindeling in samenwerking met Opportunity in Bedrijf* (Den Haag: SCP, 2000), p. 26.
44 W. Portgeijs, A. Boelens en S. Keuzenkamp, *Emancipatiemonitor 2002*, Den Haag: SCP, 2002.

ken zijn evident. Het eerste en grootste voordeel is dat de organisatorische druk en de tijdsdruk die op de partners rusten draaglijker worden, mits zij over een minimum aan organiseertalent beschikken. Dat kan hun kind(eren) alleen maar ten goede komen. Ten tweede impliceert het scenario een meer gelijkwaardige en praktische verdeling van zorg en arbeid tussen man en vrouw. Ten derde blijft het gezamenlijke inkomen ondanks deeltijdwerk en ondanks de komst van kinderen aardig op peil, omdat er nog altijd meer dan één volledig inkomen wordt verdiend. De inkomenspositie van het gezin gaat weliswaar achteruit met de komst van kinderen maar blijft beter in stand dan bij gezinnen waarin de vrouw helemaal met werken stopt om voor de kinderen te zorgen. De man wordt intensiever betrokken bij de opvoeding van zijn kinderen en bij het huishouden. De vrouw werkt meer uren per week maar staat minder onder druk dan in het 'anderhalfverdienersgezin', op voorwaarde dat haar partner ook werkelijk helpt in het huishouden en met de verzorging van de kinderen, en op voorwaarde dat er voldoende goede kinderopvang beschikbaar is. Als aan die voorwaarden is voldaan zal zij minder druk ervaren om haar werk helemaal op te geven. Er zullen zich dus ook minder herintredeproblemen voordoen. Als in het combinatiescenario de druk van werken-en-zorgen voor een deel van de schouders van de vrouw wordt weggenomen, zou het voor vrouwen weer aantrekkelijker worden om op jonge(re) leeftijd hun eerste kind te krijgen. Eén van de redenen waarom de eerste zwangerschap in Nederland steeds verder wordt uitgesteld – met alle fysieke risico's van dien – is immers gelegen in de proble-

45 Met alle negatieve gevolgen op de lange termijn die daaruit voortvloeien: Noortje Mertens, 'Kiezen tussen kind en arbeid', in: *Demos. Bulletin over Bevolking en Samenleving,* 15 (1999), Mertens betoogt dat het onderbreken van de persoonlijke carrière het salarisniveau van vrouwen op langere termijn negatief beïnvloedt en dat om die reden uitstel van moederschap loont – in de huidige omstandigheden!

men die jonge mensen voorzien in het combineren van arbeid en de zorg voor het kind.[45] In het combinatiescenario wordt de sociale en psychologische scheiding tussen de mannen- en de vrouwenwereld die door het kostwinnerssysteem werd geïntensiveerd, verder verzacht.[46] Daarmee wordt een trend versterkt die door de toenemende arbeidsparticipatie van vrouwen al op gang werd gebracht. Over de maatschappelijke gevolgen daarvan durven we ons hier niet uit te laten – zal de kwaliteit van relaties erdoor toenemen of afnemen? moeilijk te zeggen! – maar het pleit voor het scenario dat het blijkbaar de culturele wind in de zeilen heeft. Laten we hier echter niet té veel waarde aan hechten want er zijn ook tegengeluiden. Zo blijkt uit enquête-onderzoeken dat Nederlanders zich de laatste jaren iets minder lijken te oriënteren op de traditionele verbanden van gezin, huwelijk en kinderen en iets méér op het eigen beroep, de eigen carrière en op financiële en maatschappelijke zekerheid. Dat lijkt weinig goeds te voorspellen voor de bereidheid om in deeltijd te gaan werken. Daar staat echter weer tegenover dat Nederlanders 'genieten van het leven' steeds hoger in het vaandel dragen. En dat is een levensdoel dat door deeltijdwerk gemakkelijker te realiseren lijkt dan door werkweken van 60 uur.[47]

Maar het is natuurlijk niet allemaal rozengeur en maneschijn. Het 'combinatiegezin' heeft ook nadelen. Het eerste nadeel is natuurlijk dat twee deeltijdinkomens in sommige gevallen een lager gezamenlijk inkomen zullen opleveren dan de som van een voltijds inkomen en een deeltijdinkomen, vooral omdat de maatschappelijke praktijk vooralsnog nu eenmaal zo is dat de man in

46 J. Latten, 'Panta rhei', in: J. Garssen e.a. (red.), *Samenleven. Nieuwe feiten over relaties en gezinnen* (Voorburg: CBS, 2001), p. 211-220, met name p. 213.
47 Latten, 'Panta rhei', p. 214; A. Felling, J. Peters en P. Scheepers, *Individualisering in Nederland aan het eind van de twintigste eeuw*, Assen: Van Gorcum, 2000.

veel gevallen een hoger inkomen heeft dan de vrouw en dus meer inlevert wanneer hij minder uren gaat werken dan de vrouw extra verdient door een paar uur méér te gaan werken. Het tweede nadeel geldt vooralsnog voor alle deeltijdwerkzaamheden, namelijk het carrièrenadeel dat deeltijdwerkers ondervinden ten opzichte van hun in voltijd werkende collega's, zoals we hierboven al opmerkten. Dat is vooral voor mannen een zwaarwegend nadeel, dat ondanks de wens van veel mannen om minder te gaan werken zwaar *blijft* wegen. Het is niet voor niets dat de Commissie Toekomstscenario's Herverdeling Onbetaalde Arbeid het radicale verdelingsmodel onder meer afwijst omdat het teveel van het aanpassingsvermogen van mannen vergt. Ten slotte: dat beide partners in deeltijd werken is een oplossing voor de jaren dat de kinderen klein zijn en veel verzorging nodig hebben. Wanneer de kinderen eenmaal de tienerleeftijd hebben bereikt kunnen de partners natuurlijk een andere verdeling van zorg en arbeid maken, maar misschien zal het, zowel voor mannen als vrouwen, moeilijk blijken om na de 'kindertijd' weer om te schakelen naar voltijdwerk. Deeltijdwerk genereert immers ook een bepaald levenspatroon dat men niet zomaar weer aan de kant zet. Continuering van deeltijdwerk gedurende de hele arbeidsloopbaan heeft als nadeel dat de individuele pensioenopbouw gebrekkig is. Bovendien zal men vanuit het oogpunt van de regering erop wijzen dat zo'n ontwikkeling geen optimale inschakeling van de beschikbare man/vrouwkracht in de economie vertegenwoordigt.[48]

Men kan nog steeds met reden aannemen dat de toename van de participatie van vrouwen aan de arbeidsmarkt een langetermijntrend vertegenwoordigt die voorlopig dóór zal gaan. Het streven

48 A.L. Bovenberg en J.J. Graafland, 'Externe effecten van betaalde en onbetaalde arbeid', in: *Christen Democratische Verkenningen*, (2001), nr. 10, p. 11-18; A.L. Bovenberg en J.J. Graafland, 'Eenzijdige keuze voor combinatiemodel economisch gezien niet verstandig', in: *Christen democratische verkenningen*, (2002), nr. 2, p. 14-17.

naar economische zelfstandigheid, het toenemende opleidingsniveau van vrouwen en de druk van de overheid zorgen daar wel
voor. Maar de ontwikkeling gaat langzaam. Veel vrouwen blijven steken in kleine deeltijdbanen met als gevolg dat er in Nederland weliswaar redelijk veel vrouwen werken (in vergelijking
met het omringende Europa) maar dat hun arbeidsparticipatie in
werkuren uitgedrukt nog gering is. Vrouwen met kinderen zijn
in het algemeen tevreden met hun kleine deeltijdbaan en maken
zich geen grote zorgen over hun financiële afhankelijkheid van
hun partner. Ze zien er tegenop méér te werken en ten gevolge
daarvan te worden belast met een disproportioneel aandeel in
zorgende, opvoedende en huishoudelijke taken. Het is duidelijk
dat zij bewust kiezen voor werken in deeltijd, niet per se omdat
er geen kinderopvang is, maar omdat ze anders niet voldoende
aandacht aan de kinderen kunnen besteden.[49] Veel vrouwen, zo
blijkt uit onderzoek, willen wel meer uren gaan werken maar zien
te veel praktische bezwaren. Hun bereidheid zou groter zijn indien hun partner minder uren zou werken. Verstandige overwegingen die echter in combinatie met mannelijke onwil om meer
zorgtaken op zich te nemen, een verstarrend effect kunnen hebben. De laatste jaren lijkt de ontwikkeling naar een andere verdeling van zorgtaken dan ook te stokken.[50] Dat gevaar werd al jaren geleden gesignaleerd door het rapport *Emancipatie in uitvoering* (1995).[51] Gezien de heersende cultuur van mannelijke
vereenzelviging met werk én de heersende bedrijfscultuur, zal
het ideaal van het combinatiegezin dan ook niet vanzelf gerealiseerd worden.

---

49 Vgl. 'Nederlandse vrouw vindt deeltijdarbeid een zegen', in: *De Volkskrant,*
    16 september 2000. Strekking van dit artikel: dat zo weinig vrouwen in Ne-
    derland fulltime werken, zou liggen aan het gebrek aan kinderopvang. Maar
    dat blijkt niet te kloppen. Veel vrouwen werken liever parttime omdat ze
    ook tijd willen besteden aan zorg en andere zaken.
50 Portgeijs, Boelens en Keuzenkamp, *Emancipatiemonitor 2002.*
51 *Emancipatie in uitvoering. Koersbepaling van het emancipatiebeleid na
    1995,* Den Haag: Ministerie van Sociale Zaken en Werkgelegenheid, 1995.

4.2 De man buiten schot?

De *Commissie Toekomstscenario's Herverdeling Onbetaalde Arbeid* heeft destijds in haar rapport een opsomming gegeven van maatregelen die genomen zouden kunnen worden om het combinatiescenario te bevorderen,[52] maar daarvan zijn de meeste niet gerealiseerd en sommige zelfs nooit serieus overwogen. Doet de overheid voldoende om het ook door haarzelf beleden 'combinatiemodel' te bevorderen?[53] De oprichting van de Commissie

52 Om de 'arbeidspatronen te flexibiliseren' stelt de commissie de volgende maatregelen voor: een wettelijk recht op deeltijd; WW-, ZW-, AAW/WAO-garantie voor werknemers bij overgang naar deeltijd; afdrachtkorting voor werkgevers ingeval zij deeltijdbanen scheppen van minimaal 20 uur en maximaal 32 uur per week; wettelijk recht op betaalde (zorg)verloven: ouderschapsverlof, calamiteitenverlof, kraamverlof voor vaders en verpleegverlof; wettelijke bepaling (in de nieuwe Arbeidstijdenwet) die werknemers beschermt tegen arbeidstijden die de combinatie betaalde arbeid en zorgtaken belemmeren. Om kostwinnersfaciliteiten af te schaffen ten gunste van individuele rechten in belasting en sociale zekerheid komen de volgende maatregelen in aanmerking: afschaffing van de overheveling van de basisaftrek in de loon- en inkomstenbelasting; afschaffing van de kostwinnerstoeslagen in de sociale zekerheid; verzelfstandiging van de RWW/ABW; afschaffing premievrijstelling verzekeringen voor de afhankelijke partner. Om onbetaalde in betaalde zorgarbeid om te zetten kunnen de volgende maatregelen worden genomen: wettelijke regeling voor kinderopvang als basisvoorziening; uitbreiding van de formele kinderopvang voor 0-3-jarigen tot 100.000 plaatsen; uitbreiding van de buitenschoolse opvang 4-12-jarigen; uitbreiding van de thuiszorg met 1,5% per jaar. Ten slotte kan met de volgende maatregelen de uitbesteding van zorgtaken worden gestimuleerd: heffingskorting wegens gemiste huishoudelijke productie; heffingskorting van f. 10.000 [4.530] voor alleenstaande ouders; aftrekpost loonbelasting en inkomstenbelasting voor de aankoop van diensten; verlaging BTW-tarief voor goederen en diensten; invoering van het dienstenchequesysteem (d.i. een systeem om onderling betoonde diensten in de huishoudelijke sfeer te institutionaliseren en te verbreden door middel van 'tegoedbonnen' aan toonder).
53 In het nieuwe belastingstelsel krijgen ouders die thuisblijven om voor hun kind(eren) te zorgen, een bepaalde korting.

Toekomstscenario's (en nog enkele andere commissies) en de projecten die daaraan gekoppeld zijn, samen met de pogingen om arbeidsvoorwaarden te flexibiliseren ten behoeve van huishoudelijke belangen, bewijzen dat de belangstelling van de overheid serieus is. De eerste receptie van het rapport van de Commissie Toekomstscenario's was dan ook welwillend maar toch niet zo enthousiast als men mocht verwachten: "Nadat de minister van Sociale Zaken en Werkgelegenheid, behalve het rapport van de Commissie toekomstscenario's, ook het eindadvies van de Projectgroep herverdeling in ontvangst heeft genomen, gaat het beleid op dit terrein een schemerig bestaan leiden, waarbij ook de Tweede Kamer niet steeds even wakker reageert."[54] Er is wel gesuggereerd dat de lauwheid van de overheid ten aanzien van zorg-en-arbeid haar oorzaak vindt in het feit dat de combinatie van zorg en arbeid een actief beleid vergt dat eigenlijk haaks staat op enkele beleidsoperaties die de overheid sinds de jaren tachtig op zich genomen heeft: deregulering, decentralisering, de 'terugtredende overheid', marktwerking.[55] Niettemin heeft de overheid de afgelopen tien jaren laten zien dat zij zich wél bekommert om de soepele combinatie van werk en zorg, maar deze bekommernis lijkt vooral in functie te staan van de arbeidsparticipatie. De vrouw moet in staat gesteld worden méér te werken. Dat is prima, maar de man met zijn voltijdse baan blijft buiten schot. In dat opzicht lijkt de overheid zich niet écht te hebben ingespannen om het scenario dat zij zelf heeft omhelsd te realiseren. Komt dat omdat het hier langetermijn-doelstellingen betreft die geen kabinet in de toegemeten vier jaar kan realiseren? Of gelooft men toch niet écht in de mogelijkheid om het anderhalfverdienersgezin te modificeren in de richting van het 'combinatiegezin'? Is men bang voor de economische en financiële gevolgen die, toegegeven, niet helemaal te overzien zijn? Of is het overheidsapparaat zó'n mannenbolwerk dat deeltijdbanen

---

54 Niphuis-Nell, 'Beleid inzake herverdeling', deel 4, hoofdstuk 10, p. 287.
55 Ibidem, p. 324.

voor mannen de meeste ambtenaren en politici een illusoir doel toeschijnen?

Uit de meest recente *Emancipatiemonitor,* over de jaren 2000-2002, blijkt dat de ontwikkelingen op het gebied van de verdeling van zorgtaken tussen man en vrouw zéér langzaam gaan en op sommige punten zelfs stokken.[56] Het is verleidelijk te verwijzen naar enquête-onderzoeken waaruit blijkt dat, bijvoorbeeld, veel vrouwen helemaal niet ontevreden zijn met hun huidige combinatie van een kleine deeltijdbaan en het leeuwendeel van de zorg voor huishouden en kinderen. Maar de reden van hun tevredenheid is vooral gelegen in de werkbaarheid van die combinatie. Het gáát, soms goed, soms moeizaam.[57] Het kan beter, met meer arbeidsperspectief voor de vrouw, met een betere verdeling van taken tussen partners, en met minder stress en drukte – en vooral dat laatste want dat is in het belang van het kind. Men hoeft geen overdreven voorstelling te hebben van de invloed die de overheid op dergelijke maatschappelijke processen kan uitoefenen – men kan bijvoorbeeld met recht volhouden dat overheidsbeleid alleen succes kan hebben als het 'meewerkt' met maatschappelijke trends – maar dat mag geen reden zijn voor de overheid om zich niet actiever in te zetten voor een doelstelling die door de meerderheid van de Nederlandse politieke partijen wordt onderschreven. Maar wat de overheid ook doet, het zal geen succes hebben zolang de man buiten schot blijft: "Zolang de zorgverantwoordelijkheid van mannen met kinderen niet daadwerkelijk wordt vergroot, zal een verdere herverdeling van onbetaalde arbeid grotendeels een illusie blijven. En dat zal weer zijn effect hebben op de arbeidsloopbaan van vrouwen met kinderen, die dan immers niet heel veel beter zal verlopen dan thans het geval is.[58]

---

56 Portgeijs, Boelens en Keuzenkamp, *Emancipatiemonitor 2002.*
57 Hanneke Groenendijk, *Werken en zorgen: de moeite waard. Een onderzoek naar het welbevinden van buitenshuis werkende moeders,* Utrecht 1998. Dissertatie Erasmus Universiteit Rotterdam.
58 Niphuis-Nell, 'Beleid inzake herverdeling', deel 4, hoofdstuk 10.

4.3 Kinderopvang

In het combinatiescenario wordt ervan uitgegaan dat de voorzieningen voor kinderopvang aanzienlijk worden uitgebreid. Omdat wij het belang van het kind vooropstellen, brengt ons dat feit vanzelf op de precaire vraag: is kinderopvang goed of slecht? Wij willen meteen een stellingname hieromtrent formuleren – wederom met het belang van het kind in gedachte – namelijk dat de dagelijkse opvoeding en verzorging van kinderen niet volledig maar wel zoveel mogelijk door de ouders zélf moet worden verricht. Wij menen dat dat in het belang is van de kinderen, en ook van de ouders. Die stellingname wordt niet in de eerste plaats ingegeven door de vrees voor psychische schade – de discussie daarover zal wel eindeloos doorgaan – maar door de overtuiging dat ouders en de kinderen die zij gewenst hebben, de tijd moet worden gegund om contact met elkaar te hebben. We willen onmiddellijk toegeven dat dat een normatieve stellingname is: we menen dat er binnen het gezin tijd en aandacht van de ouders voor de kinderen hóórt te zijn. Wat is anders de zin van het gezinsleven?

In de praktijk van het combinatiescenario zal kinderopvang (preciezer: kinderopvang en buitenschoolse opvang van scholieren) een belangrijke rol moeten vervullen in het opvangen van de organisatorische knelpunten. Dergelijke organisatorische knelpunten zullen zich immers blijven voordoen ook wanneer beide ouders in deeltijd werken. Al was het maar omdat schooltijden en werktijden niet bij elkaar aansluiten. Er is een brede consensus in Nederland over het feit dat de kinderopvang en de buitenschoolse opvang, ondanks stimuleringsmaatregelen van de overheid, nog steeds kwantitatief tekortschieten.[59] Alle belangrijke

---

59 Wat de kwantiteit betreft zie: M. Gevers Beynoot-Schaub en M. Riksen-Walraven die in 'Kwaliteit onder druk: De kwaliteit van de opvang in Nederlandse kinderdagverblijven in 1995 en 2001', in: *Pedagogiek,* 22 (2002), nr. 2, p. 109-124, wijzen op de snelle groei van deze voorzieningen. Het

politieke partijen bepleiten dan ook uitbreiding van de opvang, al zal de een meer zien in dergelijke opvang als een publieke voorziening en de ander meer in opvang als een commerciële dienstverlening. Evenzo is er een brede consensus over het feit dat de opvang van kleine kinderen (baby's, kleuters) kwalitatief verbeteringen behoeft.[60] Maar er is géén consensus over de vraag of de langdurige opvang van kleine kinderen, dat wil zeggen: van vele uren per dag, vanuit pedagogisch oogpunt *verantwoord* is.

Er is in de loop van 2001 en 2002 veel discussie geweest over de pro's en contra's van kinderopvang, onder meer naar aanleiding van buitenlands onderzoek[61] en van de oratie van Marianne Riksen.[62] Riksen betoogde op basis van Amerikaans onderzoek dat (langdurige) kinderopvang waarschijnlijk niet goed is voor de

rapport *Babies and Bosses - Reconciling Work and Family Life* (deel 1: *Australia, Denmark and the Netherlands,* Paris: OECD, 2002) is daarentegen niet erg zonnig gestemd. Zie ook: Perry Feenstra, 'Nederland loopt achter in kinderopvang', in: *Trouw,* 5 november 2002. Een 'Wet voor de Kinderopvang' is in de maak maar nog niet gerealiseerd. Kinderopvang blijkt in commercieel opzicht een precaire branche. Veel kinderopvangvoorzieningen hebben moeite het hoofd boven water te houden, ondanks subsidie. Bovendien is geschikt personeel schaars.

60 Zie bijvoorbeeld: M. Gevers Beynoot-Schaub en M. Riksen-Walraven, 'Kwaliteit onder druk: De kwaliteit van de opvang in Nederlandse kinderdagverblijven in 1995 en 2001', in: *Pedagogiek,* 22 (2002), nr. 2, p. 109-124. Ook: 'Kwaliteit crèches gedaald' en 'Signalen uit de crèche', in: *Trouw,* 14 juni 2002.

61 Vergelijk de opvattingen van de Amerikaanse onderzoeker Jay Belsky, die al twintig jaar lang publiceert over de gevolgen van kinderopvang voor de 'hechting' en ontwikkeling van kinderen. Bijvoorbeeld: J. Belsky, 'Emmanuel Miller Lecture: Developmental risks (still) associated with early child care', in: *Journal of Child Psychology and Psychiatry,* 42 (2001), nr. 7, p. 845-859. Zie: 'Veel uren in de crèche is en blijft slecht', in: *Trouw,* 12 november 2002. Belsky meent dat crèches soms slecht zijn voor de sociale ontwikkeling van kinderen, vooral als die kinderen er meer dan dertig uur per week verblijven.

62 Marianne Riksen-Walraven, *Wie het kleine niet eert... Over de grote invloed van vroege sociale ervaringen,* Nijmegen: Katholieke Universiteit Nijmegen, 2002. Inaugurele rede Katholieke Universiteit Nijmegen.

ontwikkeling van heel kleine kinderen. Zij voerde daarvoor neurologische argumenten aan die niet alle deskundigen, ook niet degenen die het met haar conclusies wél eens waren, overtuigden. Riksen zelf verklaarde de commotie die rond haar stelling ontstond uit het feit dat ouders die hebben moeten vechten voor een plaats in de kinderopvang niet graag willen horen dat die opvang wellicht niet zo goed is voor hun kind.[63] Dat laatste is op zichzelf genomen zeker waar maar geen argument. Wie het onderzoek beziet dat tot nu toe naar de langetermijneffecten van kinderopvang is gedaan, vindt niettemin weinig redenen voor paniek. Het zal maar weinigen verrassen dat de belangrijkste factor de *kwaliteit* van de kinderopvang is. Goede kinderopvang lijkt niet alleen geen kwalijke gevolgen te hebben voor de ontwikkeling van het kind maar zelfs positieve, terwijl slechte kinderopvang slechte gevolgen kan hebben. Geen reden voor paniekverhalen dus, maar wel redenen om niet alleen te streven naar *voldoende* kinderopvang maar ook en vooral naar *goede* kinderopvang – een voor de hand liggende aanbeveling die ook door Riksen naar voren wordt gebracht: zij pleit voor "voldoende kinderopvang waarvan de kwaliteit gegarandeerd wordt door strenge inspectie, niet alleen op de aanwezigheid van een pedagogisch beleidsplan, maar ook op basale voorwaarden voor en kwaliteit van het pedagogische proces".[64] Wij willen daaraan toevoegen dat kinderopvang vooral gebaat is bij personele continuïteit, omdat juist die continuïteit voor de emotionele ontwikkeling van kinderen belangrijk is. In de huidige situatie met personeelstekorten en een expanderende kinderopvang ontbreekt die continuïteit maar al te vaak. Er is geen reden waarom dit in Nederland niet bereikt zou kunnen worden, al was het maar omdat de belangen van overheid en van gezinnen in dezen grotendeels parallel lopen: goede en voldoende kinderopvang is in het voordeel

---

63 Marianne Riksen-Walraven, 'Ouders blind voor nadelen crèche', in: *Trouw,* 13 maart 2002.
64 Ibidem,

van ouders die beiden willen werken én in het voordeel van de nationale economie die vraagt om extra (en vooral vrouwelijke!) arbeidskracht.

Door de talrijke besognes van de ouders en door het omlaag brengen van de leerplichtige leeftijd is de periode waarin ouders overvloedig tijd hebben om aandacht te geven aan hun kinderen toch al danig verkort. Daarom willen wij erop insisteren dat geïnstitutionaliseerde kinderopvang in principe een *aanvullende* voorziening moet blijven, een voorziening waarop ouders een beroep *kunnen* doen in omstandigheden of op tijdstippen waarin zij overdag niet voor hun kind(eren) kunnen zorgen. Kinderopvang mag geen voorziening worden waarop vrijwel alle ouders, op elke werkdag en gedurende grote delen van de dag, een beroep *moeten* doen.

Voor het goede begrip: wij keren ons dus *niet* tegen kinderopvang als zodanig, *wel* tegen een situatie waarin frequent en langdurig gebruik van kinderopvang voor de meeste ouders een onvermijdelijkheid zou zijn geworden. We waarschuwen ook tegen een omkering die, vanuit het oogpunt van de overheid, maar al te zeer voor de hand ligt. In de jaren tachtig is de overheid begonnen de uitbreiding van kinderopvangfaciliteiten te bevorderen om zo vrouwen de arbeidsmarkt op te lokken. Zodra echter een situatie zou zijn ontstaan (maar zo ver is het dus nog niet) dat er voldoende betaalbare kinderopvang beschikbaar is, kan dat als argument gebruikt worden om de druk op vrouwen om te gaan werken op te voeren, ook als ze nog kleine kinderen te verzorgen hebben. In 1997 werd opgemerkt dat "de tot voor kort typisch Nederlandse weerstand tegen het opvangen van jonge kinderen in kinderdagverblijven definitief tot een minderheidsopvatting en -gevoelen [is geworden]".[65] De meest recente *Emancipatiemonitor* lijkt echter te duiden op een residu van weer-

65 Niphuis-Nell, 'Beleid inzake herverdeling', deel 4, hoofdstuk 10, p. 303.

stand.[66] Die weerstand dient *gerespecteerd* te worden. Overtuigen en lokken ja, dwingen nee.

We keren terug naar de discussie over de verdeling van zorg en arbeid. Ook op dit punt vinden we het combinatiescenario aantrekkelijk. In dit scenario neemt kinderopvang een belangrijke plaats in – dat is realistisch – maar het kan een additionele voorziening blijven, geen basisvoorziening – en dat is goed voor de kinderen.

4.4 Levensloopverzekering: een alternatief?

De PvdA, de VVD en andere partijen hebben meer oog voor arbeid dan voor het gezin.[67] Recente kniebuigingen kunnen van het tegendeel niet overtuigen. Het CDA is consequenter bezig met het

---

66 Portgeijs, Boelens en Keuzenkamp, *Emancipatiemonitor 2002*.

67 Naar de houding van de diverse politieke partijen tegenover het gezin is al heel wat onderzoek gedaan. Daaruit blijkt ook de herleving van de aandacht voor het gezin aan het eind van de jaren negentig. Interessant zijn de ideologische verschillen tussen de partijen, zelfs wanneer die tot standpunten leiden die praktisch niet zo ver uit elkaar liggen. Vergelijk: S.I. Zwart, *Het gezinsbeeld bij de Nederlandse politieke partijen. Een onderzoek naar de "guiding images" voor een gezinsbeleid, zoals die naar voren komen uit de beginsel- en verkiezingsprogramma's van de in het Nederlandse parlement vertegenwoordigde partijen,* Wageningen: Afdelingen voor Sociale Wetenschappen aan de Landbouwhogeschool, 1969; L. Moolenaar en P. Cuyvers, 'Het gezinsbeeld van de politieke partijen', in: *Gezin, Tijdschrift voor Primaire Leefvormen,* 4 (1992), nr. 3-4, p. 255-266; Kees de Hoog, *De marginalisering van het gezin aan het einde van de 20ste eeuw. Een poging tot opheldering van een hardnekkig misverstand,* Wageningen: Landbouwuniversiteit Wageningen, 1995; Kees de Hoog en Jolanda Vinkers, *Het gezin in de verkiezingsprogramma's 1998,* Den Haag: Nederlandse Gezinsraad, 1998; Kees de Hoog en Erna Hooghiemstra, 'Gezin in beeld. Politieke partijen tegen het licht', in: *Demos. Bulletin over Bevolking en Samenleving,* 18 (2002), juni/juli, p. 45-48; Kees de Hoog en Erna Hooghiemstra, *Links en rechts aandacht voor het gezin. Gezinsbeelden in de partijprogramma's voor de verkiezingen van de Tweede Kamer 2002,* Den Haag: Nederlandse Gezinsraad, 2002.

gezin maar wat heeft deze partij aan het gezin te bieden? Het CDA is ongetwijfeld de politieke partij die zich het meest intensief heeft beziggehouden met de vraag hoe de overheid de overbelasting en financiële achteruitgang van (jonge) gezinnen kan verzachten. De laatste jaren heeft de partij het concept van een 'levensloopverzekering' ontwikkeld dat door het kortlevende kabinet-Balkenende werd overgenomen maar nog vér van realisatie is. De levensloopverzekering die door het CDA wordt voorgesteld is in de grond een verlofspaarsysteem dat qua systematiek vergelijkbaar is met het stelsel van pensioenopbouw. Het gespaarde verlof kan door werknemers gebruikt worden om deel te nemen aan de opvoeding van jonge kinderen, om voor verwanten te zorgen of om tijd vrij te maken voor om- of bijscholing op latere leeftijd. De overheid beloont spaarijver met een bonus. Omdat de regeling in de eerste plaats beoogt jonge gezinnen te helpen is er een kredietsysteem ingebouwd. Iemand die jong is en nog weinig verlof heeft gespaard, kan dankzij dit krediet toch verlof opnemen, bijvoorbeeld om voor jonge kinderen te zorgen, en het opgenomen verlof later als het ware afbetalen. Het is de bedoeling dat de levensloopverzekering werknemers in staat zal stellen om een aantal malen gedurende hun werkzame leven enkele maanden vrijaf te nemen. Daardoor kunnen zij moeilijke periodes in hun levensloop, waarin drukte en stress of de behoefte aan verandering het grootst zijn, gemakkelijker overwinnen. De regeling is een poging om op een vernieuwende en creatieve manier de bestaande baaierd van verlofregelingen en verlofrechten te voorzien van een ordening en van een gedegen financieel systeem. Het is de bedoeling dat de regeling het voor vrouwen aantrekkelijker maakt om slechts tijdelijk de arbeidsmarkt te verlaten ten behoeve van de opvoeding van hun kinderen (in plaats van definitief, zoals nu vaak het geval is), doordat hun man gedurende enige tijd kan bijspringen. In de tweede plaats bestaat de hoop dat vaders dankzij hun zorgverlof eraan zullen wennen een substantiëler deel van de verzorging en opvoeding van de kinderen voor hun rekening te nemen en dat de levensloopverzekering op die wijze een effect heeft dat de duur van het verlof overschrijdt.

Er valt veel goeds over het levensloopverzekeringsvoorstel te zeggen. Het komt tegemoet aan een reële behoefte die door niemand (ook niet door degenen die de voorgestelde regeling niet steunen) wordt ontkend. De regeling is gebaseerd op een overtuigende analyse van de veranderingen die zich rond arbeid en gezin hebben voorgedaan: de regeling versterkt dan ook als het ware de maatschappelijke trend dat vrouwen méér betaald werk verrichten en mannen méér zorg- en opvoedingstaken op zich nemen. Het staat burgers vrij er al dan niet gebruik van te maken. In die zin is het voorstel een demonstratie van vertrouwen in het gezonde verstand van de overgrote meerderheid van de bevolking. De regeling probeert ook het vertrouwen van de burgers te winnen: zij is gebaseerd op een spaarfonds dat door de sociale partners wordt beheerd. Daardoor blijft het gespaarde altijd eigendom van de burgers (zoals het gespaarde pensioen hun eigendom blijft). Het spaarfonds is beschermd tegen de bedilzucht of de hebzucht van toekomstige regeringen. Deze opzet beschermt de levensloopverzekering ook tegen het risico van overgebruik of misbruik waarmee een algemene volksverzekering ongetwijfeld te kampen zou hebben. Ten slotte valt de flexibele opzet te prijzen. Het gespaarde verlof kan in allerlei situaties worden ingezet. Zo past de regeling zich aan aan de concrete situatie van ieder individueel gezin. Dat is een belangrijk voordeel boven elke meer toegespitste of meer dwingende regeling die aan de bestaande maatschappelijke diversiteit geen recht kan doen.

Zal zo'n levensloopverzekering in de praktijk aanslaan? Uit het succes van de spaarloonregeling is gebleken dat burgers best bereid zijn een bepaald bedrag opzij te zetten mits daar een aantrekkelijk voordeel aan verbonden is. Maar welk voordeel biedt de levensloopverzekering? Natuurlijk moet de bonus genoemd worden die de overheid in het vooruitzicht stelt. Die regeling zal zeker stimuleren. Uiteraard zullen veel mensen geholpen zijn met een paar maanden verlof tijdens een overdrukke periode in hun leven. Ook betaald studieverlof kan een uitkomst zijn. Maar dat verlof moet betaald *zijn* of in de toekomst betaald *worden*. In het eerste geval vergt dat van de burgers veel vooruitzien, in het tweede geval de bereidheid om gedurende vele jaren terug te betalen wat men ooit in het verleden genoten heeft. Het is niet duidelijk of mensen bereid zullen zijn om jarenlang te sparen voor extra vrije tijd die ze misschien niet nodig zullen hebben (en die ze *niet* mogen inruilen voor vervroegd pensioen!). Het is evenmin duidelijk of mensen bereid zullen zijn verlof op te nemen dat zij later moeten 'terugbetalen'. Indien gebruikmaking van de levensloopverzekering negatieve gevolgen heeft voor de hoogte van iemands pensioen,[68] zal de aantrekkingskracht van de regeling drastisch verminderen.

Aan de voorgestelde regeling kleeft ook een sociaal bezwaar. Wat voor de spaarloonregeling geldt, geldt ook voor de levensloopverzekering: gezinnen met een laag inkomen kunnen veel moeilijker geld opzijzetten om een kapitaaltje op te bouwen of om voor verlof te sparen. Dat betekent dat de levensloopverzekering vooral van belang zal zijn voor werknemers die een behoorlijk inkomen hebben.

De levensloopverzekering is bovendien alleen zinvol voor mensen die kinderen hebben (en daar extra tijd aan willen besteden) of voor mensen die omscholingswensen hebben. Voor mensen zonder kinderen of voor mensen die geen behoefte voelen aan *sabbaticals,* studieverloven enz. is de regeling zonder betekenis. Het gebruik van het verlofkrediet is immers aan beperkingen onderhevig: het mag bijvoorbeeld niet gebruikt worden om in feite met vervroegd pensioen te gaan.

De levensloopverzekering is een hulpmiddel voor gezinnen en individuen om knelpunten te verhelpen. Zij vertegenwoordigt een creatieve poging om burgers door de meest stressvolle periodes van hun leven te helpen en om eenheid te brengen in de chaos van verlofregelingen, maar de verzekering zal geen verlichting brengen in de overbelasting en het tijdgebrek waarmee twee- of anderhalfverdienende ouders worstelen: zij zal niet in staat blij-

---

68 Indien gebruikmaking van de levensloopverzekering gevolgen heeft voor de hoogte van de fiscaal toegestane jaarlijkse pensioenopbouw.

ken om structureel, langdurig, de druk op deze jonge gezinnen te verminderen. Men kan ook twijfels hebben over het emanciperende effect. Zullen mannen door extra verlof gedurende enkele weken of maanden inderdaad ~~~~~~ ~~~den een groter aandeel in zorg en opvoeding voor h ~~~~~~ Dat is allerminst zeker. Wellicht zal blijk ~~~~~~ m een paar maanden verlof te nemen d ~~~~~~ aan en vrouw op de lange termijn helen

4.5. Financiële steun

De levensloopverzekering is ni~ het CDA wil nemen ten behoeve van ge~ ~zekering moet in de visie van deze par loor extra financiële steun aan gezinnen bordeel en extra kinderbijslag. De maat~ ten goede maar vooral gezinnen met ee~ ~gte van die financiële steun is overigen bedrag mag niet te hoog en niet te laag ~ ~g is, worden vrouwen van de arbeidsmarkt a~g~ steun te laag

is, is het effect te gering. Extra financiële steun voor gezinnen kan een manco van de huidige bijstandswet rectificeren: in de huidige regeling krijgt een gezin met één kind 100% van het minimumloon als bijstandsuitkering. Ieder extra kind levert geen cent meer op. Het gevolg is dat grotere gezinnen met een bijstandsinkomen het nog veel moeilijker hebben dan kleinere gezinnen met een bijstandsinkomen. De gedachte achter dit voorstel voor financiële steun is dat gezinnen een 'inkomensdip' meemaken door de toegenomen kosten (kinderen) en het afgenomen inkomen (omdat in veel gevallen de vrouw minder uren per week gaat werken). We merkten hierboven al op dat al tientallen jaren algemeen geaccepteerd is dat de overheid ouders tegemoet komt met kinderbijslag en met bepaalde fiscale voordelen. Als blijkt, en onderzoek lijkt dat uit te wijzen, dat gezinnen met kinderen nog steeds een aanzienlijke financiële dip ervaren, dan ligt het op de weg van de overheid om daar iets aan te doen door verhoging van de kinderbijslag of door fiscale maatregelen. Maar voor gezinnen met een hoog inkomen liggen de zaken natuurlijk anders dan voor gezinnen met een laag inkomen. Daarom moet deze extra steun gerelateerd worden aan het gezinsinkomen, zodat de gezinnen met de laagste inkomens het meest profiteren. Het huidige systeem waarbij zelfs de rijkste gezinnen een vast bedrag aan kinderbijslag innen, is achterhaald.

5 Tot slot

5.1 Een pleidooi voor blijvende coördinatie

De totale werkzaamheid van de overheid in de samenleving heeft niet alleen directe effecten op het gezin maar ook, en misschien wel vooral, indirecte effecten.[69] Men denke bijvoorbeeld aan effecten die fiscaal beleid, sociale-zekerheidsbeleid, arbeidsmarktbeleid, onderwijsbeleid, huisvestingsbeleid, openbaar-vervoersbeleid, gezondheidszorgbeleid – ook onbedoeld en onvoorzien – kunnen hebben op gezinnen. Terwijl de directe effecten zichtbaar zijn (en dus tot op zekere hoogte gestuurd kunnen worden), voltrekken de indirecte effecten zich grotendeels ongecontroleerd en ongecoördineerd – en niet per se ten gunste van het gezin. H. Schulze onderscheidt vier terreinen waarop de overheid intervenieert en drie niveaus waarop het gezin door die interventies wordt geraakt.[70] Die vier terreinen betreffen juridisch, economisch, dienstverlenend en educatief beleid. Op deze terreinen oefent de overheid allereerst invloed uit op de ruimere omgeving van het gezin: politieke, juridische, fiscale, economische structuren, het sociale-zekerheidsstelsel, het onderwijs. Vervolgens op de nabije omgeving 'van het kind en degenen die met de zorg en opvoeding zijn belast': ouderlijke rechten en plichten, financiële mogelijkheden, gezondheidszorg, kinderopvang, school. Ten slotte doet de invloed van de overheid zich gelden in de directe omgeving van het kind zelf: de juridische regeling van ouderschap, partnerschap, jeugd en familie, de verzorging met voeding, kleding, woon- en speelruimte, opvoeding en zorg voor de gezondheid, en 'educatieve interactie'. Uit de beschrijving van Schulze rijst het beeld op van allerlei vormen van overheidsin-

69 Een overtuigend betoog hierover door Schulze, 'Opvoeding tot gezinsbeleid'.
70 Ibidem.

vloed die zich als schillen van een ui om het gezin vouwen. Ook wordt de indruk bevestigd dat de invloed van de overheid op het gezin veelvormig en aanzienlijk is, ook al is die invloed vaak het gevolg van beleidsbeslissingen die helemaal geen beïnvloeding van het gezin beoogden.[71] Schulze voegt daar echter aan toe dat de overheidsinvloed in kracht varieert: niet alle overheidsmaatregelen raken de levenssfeer van kinderen, soms worden politieke maatregelen maar halfhartig doorgevoerd en in enkele gevallen is er zelfs sprake van 'proclamatorische politiek' – altijd een gevaar wanneer een regering zichzelf hooggestemde doelen stelt.[72] De invloed die de overheid *de facto,* ook zonder bewust beleid, op het gezin uitoefent, is op zichzelf al een reden om aan te dringen op een of andere vorm van coördinatie. Institutioneel heeft gezinsbeleid nooit een positie van betekenis gehad binnen het Nederlandse overheidsapparaat. Binnen het kabinet had de minister van Sociale Zaken de taak alle beleidsaspecten die betrekking hebben op het gezin te coördineren, maar voor een minister met zo'n breed werkterrein is het gezin natuurlijk slechts één thema naast vele andere, één belang naast vele andere. Van deze minister kon dan ook nauwelijks verwacht worden dat hij of zij als een belangenbehartiger van het gezin zou optreden binnen het kabinet of werkelijk in staat zou zijn het overheidsbeleid te coördineren met het oog op het gezinsbelang. In sommige Europese landen heeft men dat euvel onderkend. Daarom beschikken de overheden daar over een apart ministerie dat zich met jeugd- en gezinszaken bezighoudt, veelal in de zin van coördinatie tussen de diverse andere ministeries die op de een of andere manier met het gezin te maken hebben en van belangenbehartiging van het gezin tegenover andere belangen.[73] In Neder-

---

71 Ibidem.
72 Ibidem.
73 Duitsland kent een *Bundesministerium für Familie, Senioren, Frauen und Jugend,* terwijl de diverse *Länder* vergelijkbare ministeries hebben onder titels als *Ministerium für Justiz, Frauen, Jugend und Familie, Ministerium*

land nemen de diverse geledingen van de overheid maatregelen zonder dat er een overzicht bestaat van wat al die maatregelen tezamen voor het gezin zullen betekenen.

Het vooralsnog bestaande gebrek aan coördinatie en belangenbehartiging is een goede reden om te pleiten voor gericht gezinsbeleid en voor een stevige institutionele verankering van dat gezinsbeleid in de regering – liefst enigszins onafhankelijk van de toevallige politieke windrichting – zodat alle draden van de overheidsinvloed op het gezin bij elkaar kunnen komen. Cuyvers merkt op dat een meer positief maatregelenpakket ten behoeve van het gezin de behoefte aan zo'n verankering nog zal doen toenemen. Zo'n maatregelenpakket zal immers altijd door meerdere departementen tegelijkertijd moeten worden uitgevoerd. Van de samenwerking en coördinatie tussen verschillende departementen hoeft men mét Cuyvers geen hoge verwachtingen te hebben. Cuyvers ziet drie alternatieven: het onderbrengen van gezinsbeleid als een stevige 'poot' in een bestaand ministerie, een eigen ministerie of een coördinatiecentrum van andere aard, te noemen naar de 'primaire levenssfeer' als beleidsobject. Wat het eerste alternatief betreft, moet men vrezen dat 'gezinsbeleid' in grote ministeries altijd een onderschoven kindje zal blijven. Een coördinerend staatssecretariaat is, zoals is gebleken uit de lotgevallen van het reeds genoemde staatssecretariaat voor Emancipatiezaken, afhankelijk van de welwillendheid van andere bewindslieden en van de politieke *power* die de staatssecretaris als

für Arbeit, Soziales, Familie und Gesundheit of *Landesamt für Soziales und Familie.* In Frankrijk bestaat het *Ministère de la Santé, de la Famille et des Personnes handicapées* (waarbinnen een *ministre délégué* werkzaam is voor gezinszaken). Ierland heeft een *Department of Health and Children,* Luxemburg een *Ministère de la Famille, de la Solidarité sociale et de la Jeunesse,* Noorwegen het *Barne- og Familiedepartementet* (Minister voor Kinder- en Gezinszaken) en Oostenrijk een *Bundesministerium für Umwelt, Jugend und Familie.* Behalve Nederland hebben ook België, Denemarken, Italië, Spanje, Verenigd Koninkrijk, Zweden en Zwitserland geen ministerie dat aan jeugd- en/of familiezaken is gewijd.

persoon kan ontwikkelen. De creatie van een nieuw ministerie zal naar verwachting van Cuyvers veel onwilligheid bij de ambtenarij oproepen. Daarom gaat Cuyvers' voorkeur uit naar een soort adviesraad, een *premier's council,* naar Australisch en Canadees voorbeeld of, zo mag men daaraan toevoegen, naar het voorbeeld van de vroegere Emancipatieraad. Zo'n raad moet dicht bij de regering staan. Of zij invloedrijk en effectief is zal van de leiding en de leden van de raad zelf afhangen.[74] Anderzijds zou de creatie van een afzonderlijk ministerie een veel nadrukkelijker en permanenter signaal zijn dat het de overheid ernst is met gezinsbeleid. Zo'n ministerie zal ook beter in staat zijn gezinsbeleid tot een 'voorwerp van aanhoudende zorg' te maken in plaats van een onderwerp dat in de samenleving lééft maar in de politiek slechts aan de orde komt bij gratie van incidenten en verkiezingsdebatten.

Tijdens de afgelopen kabinetsperiode van het kabinet-Balkenende zijn 'familiezaken' – de term is een ongelukkig anglicisme – toegevoegd aan het takenpakket van de staatssecretaris voor Emancipatiezaken.[75] Het betreffende kabinet is echter te kortlevend en te ineffectief geweest om te kunnen inschatten of dit meer dan een cosmetische maatregel is, en of gezinsbeleid nu *werkelijk* een plek heeft gekregen. Bovendien zouden wij een voorkeur hebben voor de beleidseenheid 'jeugd- en gezinszaken': indien emancipatie ook in de toekomst ingevuld zal worden als 'meer arbeidsparticipatie door vrouwen' dan kan het niet anders

---

74 P. Cuyvers, 'Het gezin als partner'. Adviesraden hebben het tij tegen sinds de versobering van het adviesstelsel van de overheid, die in 1993 werd ingezet. De Emancipatieraad werd in 1997 opgeheven.

75 *Beleidsbrief Emancipatie en Familiezaken 2003,* november 2002, p. 2: "Nieuw is de toevoeging van Familiezaken aan het beleidsterrein en de overgang van de afdeling Kinderopvang van het ministerie van Volksgezondheid, Welzijn en Sport (VWS) naar het ministerie van Sociale Zaken en Werkgelegenheid (SZW). Deze twee wijzigingen brengen tot uitdrukking dat emancipatie en kinderopvang geen kwesties zijn die alleen vrouwen aangaan, maar ook mannen en werkgevers."

of een staatssecretaris voor Emancipatie en Familiezaken koestert altijd *zwei Seelen in einer Brust.*[76]

5.2 Enkele belangrijke punten hernomen

Tot slot willen we nog enkele saillante punten van ons betoog hernemen.

Als eerste punt herhalen we nog eens dat wij gezin in een brede betekenis opvatten: *een leefeenheid van minstens één volwassene die de zorg heeft voor minstens één kind.* Het gezin is niet langer het min of meer uniforme standaardfenomeen van enkele decennia terug – en de overheid moet zich daarvan rekenschap geven.

In de tweede plaats roepen we in herinnering dat wij gezinsbeleid – in de zin van: beleid tegenover gewone, niet-problematische gezinnen – een passende taak van de overheid achten, omdat het goede functioneren van gezinnen een belang van de *hele* samenleving vertegenwoordigt. We zijn van dat laatste overtuigd, ook al zou de zorg van de overheid voor 'gewone' gezinnen uiteindelijk geen meetbare resultaten hebben – meetbare resultaten zoals, bijvoorbeeld, een afnemende jeugdcriminaliteit.

Ten derde willen we onze nadruk op *het belang van het kind* in het licht stellen. We hebben geprobeerd aan te geven waarom dáár de prioriteit van het gezinsbeleid moet liggen en niet op noties als 'het gezin', de emancipatie van de vrouw, de economie. De belangrijkste reden voor deze keuze is de kwetsbaarheid van kinderen. Een andere reden is dat het gezinsbeleid van de overheid een eenvoudig, voor iedereen inzichtelijk vertrekpunt moet hebben en geen omstreden ideologisch uitgangspunt als 'het ge-

---

76 Ook Groenlinks heeft gepleit voor een staatssecretariaat voor Jeugd- en Gezinszaken. Wellicht minder uit betrokkenheid bij 'het gezin' als wel uit bezorgdheid over de repressieve trend in de Nederlandse politiek. Volgens deze partij kunnen probleemjongeren beter met sociaal beleid dan met politie tegemoet getreden worden.

zin als hoeksteen van de samenleving' of een uitgangspunt ('de internationale concurrentiepositie van de Nederlandse economie') dat maatregelen kan rechtvaardigen die regelrecht tégen het belang van het gezin én van het kind kunnen indruisen. In onze bespreking van de maatregelen die de overheid zou kunnen nemen om gezinnen te steunen, hebben we laten blijken dat we Nederlandse ouders vooral zouden willen beschermen tegen *dwangsituaties*. We zijn ons bewust van het gevaar dat de voortdurende nadruk op het stimuleren van de arbeidsparticipatie van de vrouw niet alleen leidt tot een toenemende gelijkheid van man en vrouw (goed) maar ook tot situaties waarin er voor ouders niets meer te kiezen valt (slecht). De suggestie dat een situatie waarin alle ouders voltijds werken en hun kroost uitbesteden aan de kinderopvang een ideaal zou zijn, werpen wij verre van ons. Niettemin: kinderopvang is een goede zaak, evenals verlofregelingen en financiële steun voor gezinnen, maar de enige uitweg uit een ontwikkeling waarin gezinnen onder toenemende organisatorische druk komen te staan, is een beleid waarin de *rol van de man* niet buiten schot blijft. Het combinatiescenario geeft aan in welke richting wij denken.

Het Nederlandse kind leeft tussen het werk en de zorg van zijn ouder(s). Dat is geen probleem zolang er evenwicht is tussen werk en zorg. De huidige situatie is niet dramatisch – we willen niet overdrijven – maar de ontwikkelingen gaan een kant uit die ons verontrust. Het is niet alleen de overheid die daar iets aan moet doen. Nederland kent ook een actief middenveld van maatschappelijke organisaties en een bedrijfsleven dat zijn verantwoordelijkheid weet te nemen, maar de overheid neemt een unieke positie in om ontwikkelingen te overzien en (bij) te sturen. Het zou daarom ook een goed idee zijn als de overheid zich *institutioneel* beter zou voorbereiden op een beleid dat echt is gericht op de jeugd en op gezinnen. Bijvoorbeeld door aan zo'n beleid een formele plek binnen de regering toe te kennen.